京都寺町三条のホームズ

望月麻衣

双葉文庫

目次

真城《ましろ》 葵《あおい》

17歳。高校二年生。
埼玉県大宮市から京都に引越してきて7ヵ月。
ひょんなことから『蔵』でアルバイトをすることになる。
前の高校の時に付き合っていた恋人のことを引きずっている。

家頭《やがしら》 清貴《きよたか》

22歳。京都大学大学院1回生。通称『ホームズ』。
京都寺町三条にある骨董品店『蔵』の店主の孫。
物腰は柔らかいが、恐ろしく鋭い。
時に意地悪、“いけず”な京男子。

序章　『ホームズと白隠禅師』

『お宅で眠っている骨董品等ございませんか？　鑑定・買取いたします』

京都寺町三条の賑やかなアーケードを歩いていると、軒を連ねる商店の中に、それは小さな骨董品店があった。

看板には『蔵』という一文字。これが店名らしい。

（骨董品店というと『ギャラリー○○』や『アンティーク○○』『○○堂』と店名があれこれ浮かぶのに、『蔵』の一文字だなんて、随分とシンプルなんだなぁ）

それが、この店の第一印象。

店の雰囲気は骨董品店というより、レトロなカフェのようだ。

明治・大正時代を思わせる和洋折衷な作り。入口付近に喫茶コーナーがあり、奥に商品が並んでいる。年配の女性や男性がコーヒーを飲んで楽しそうに語らっている姿も見えた。

本当に看板さえ見なければ、カフェだと思ってしまうかもしれない。

お店の前でコソコソと中を窺っていると、通り過ぎる人たちがチラチラとこちらを見ていることに気が付いた。

「…………」

慌てて姿勢を正して、何食わぬ顔を見せる。

女子高生が骨董品店の前をウロウロしているのは、奇妙に見えるのかもしれない。

『入りたくても入れないのね、あの子』そんなふうに見られているかもしれない。

もし、そんなふうに思われているとするなら……はい、正解です。

そう、私はこの骨董品店に、入りたいと思いながらも、入れずに店の前をウロウロしてしまっている残念な女子高生だ。

だって、オープンで北欧風な雑貨店だったり、もっとライトなアンティークショップならさておき、いかにも『骨董品店』な雰囲気はどうにも気軽に入れない。

『鑑定・買取いたします』

その文字を偶然目にしてからというもの、この店が気になり、もう何度も入ろう入ろうと思いつつ、結果的に素通りしてきた。

日本一の観光地といっても過言ではない『京都』。一年中、たくさんの観光客が世界中から訪れる。だけど、その地に住む高校生にとっては、意外に『遊ぶところがない町』だ。

神社仏閣は素敵だし癒されるけれど、友達と集まって遊びに行くところではない。

遊びに行くところはカラオケだったり、大型ショッピングモールだったり、三条の映画館に寄ってアーケードをウロつくくらいだ。

ちなみに三条商店街のゆるキャラ『三条と～り』という鳥のマスコットは、なかなか可愛らしいと思っていて、お気に入りなんだけど。

あ、この店の入口のところにも、『三条と～り』のポスターが貼られている。

やっぱり可愛いな、癒される。と、それはさておき、そんなわけで、この三条商店街に遊びに来ては『蔵』を横目で見つつ、素通りしてしまっていた。

いつまでもウロウロしているわけにはいかない。

手にしている紙袋の紐をギュッと握る。

（よし、入ろう！）

意を決した瞬間、背後からスッと、スーツを着た中年男性が自分を追い抜いてカランと扉を開けた。

「おー、ホームズおるかー？」

そんなことを言いながら、店に入って行く。

（ホームズ？）

怪訝《けげん》に思いながらも、その男性につられるように、自分も店内へと足を踏み入れた。

店に入るなり目にしたのは、古き良き洋館の応接室を思わせるアンティークなソファー。楽しげにコーヒーを口に運ぶ初老のご婦人。決して高くない天井には小ぶりのシャンデリア。壁には大きな柱時計。店の奥のたくさんの棚の上に並ぶ骨董品に雑貨。

入口から見たら小さな店だったけれど、随分と奥まっているようだ。

ソファーがある応接スペースの側にカウンターがあり、大学生にしか見えない若い男性が椅子に腰を掛けていた。

「いらっしゃいませ」

その学生にしか見えないカウンターの彼は、私たちの方に目を向けてニコリと微笑んだ。

細身の身体、少し長めの前髪に白めの肌。そして鼻筋の通った、なかなかの……。

いや、かなりのイケメン。

……カッコイイかも。アルバイトの人なんだろうか？

「ホームズ、これ、識《み》てくれへん？」

スーツ姿の中年男性は椅子に腰を下ろして、風呂敷をカウンターの上に置いた。

「上田さん、いいかげん、『ホームズ』って呼ぶの、やめてもらえませんかね」

「ええやん」

悪びれもしない『上田さん』に『ホームズ』と呼ばれているイケメンは肩をすくめつつ、白い手袋をして、丁寧に風呂敷をほどいた。

開かれた風呂敷の中には、見るからに立派そうな長方形の桐箱《きりばこ》。さらに箱を開けると、太く巻かれた金の表装が見えた。

どうやら、掛け軸らしい。それは『高価なもの』という雰囲気を漂わせている。

「金襴表装《きんらんひょうそう》ですか……」

ホームズさんは『へぇ…』と零《こぼ》して、顔を上げた。

「随分と着物《きもの》がいいですねぇ」

「やろ? 俺もそう思ったんやけどな」

そんな会話を耳にしながら、小首を傾げた。

(着物がいい?)

すると、ソファーでコーヒーを飲んでいた初老のご婦人が立ち上がり、

「まあまあ、着物やて?」と言いながらズイッと身を乗り出した。

「なんや『着物がええ』って言うから、着物かと思ったら掛け軸やん。また、随分と立派やなぁ」

無遠慮に声を上げる彼女に、ホームズさんは笑みを返した。

「着物がいいというのは、『立派すぎる』ということですよ、美恵子《みえこ》さん」

みんな顔見知りの常連らしい。

「立派すぎたらあかんの?」

「ええ、嘘をつく者がペラペラと言葉を並べるように、ニセモノほど、こうして箱や表装が立派すぎたりするんです。そうしたものを『着物が良すぎる』と言ったり、『次第《しだい》が悪い』とも言うんです」

穏やかな語り口で説明する彼に、私は話を横聞きしながら『へぇえ』と小さく頷いた。

「へえ、そうなんか。つまりハッタリいうことやなぁ。そんじゃあ、それもニセモノなん？」

掛け軸に視線を落とした美恵子さんに、ホームズさんは小さく首を振る。

「いえ、それはこれから識《み》てみないと。これまた、先入観にとらわれてはいけませんから」

丁寧に掛け軸を手に取って、ゆっくりと開くと、金襴表装の中に富士山が描かれていた。

手前には桜の木。

その向こうに、悠然とそびえ立つ富士。

それは、吸い込まれるような迫力だった。

こっそり窺いながら、その掛け軸の富士山に圧倒され、感動すら覚えた。

（……すごい）

「ほぉ、これはこれは」

感心したように漏らすホームズさん。

「なっ、すごいやろ」

上田さんが目を輝かせながら、身を乗り出した。

「『横山大観《よこやまたいかん》』の『富士《ふじ》と桜図《さくらず》』。なかなか良い品ですね」

「やろ。これは状態もええし、かなりのモンちゃう？」

「まあまあ、横山大観やて。高価なもんちゃうの？」

美恵子さんが上田さんの方を見て言う。

「そら、大観のホンマもんやったら、五百はくだらんで。これやったら、もしかしたら千いくんちゃう？」

「一千万か！　上田さん、すごいやん！」

「やろ？」

盛り上がる二人を前に、ホームズさんは少し申し訳なさそうに眉を下げた。

「……そうですね。とても美しいですし、状態も良いのですが、残念ながらこれは『工芸《こうげい》画《が》』ですね」

その言葉に上田さんは動きを止めて、怪訝そうに眉を寄せた。

「……ホンマか？　大観の工芸画やったら『工芸』って判が捺《お》してあるもんやろ？　どこにもないやん。ホンマもんちゃうの？」

「いえ、これは『工芸画』ですね。間違いないです」

サラリと告げるホームズさんに、上田さんは急に力が抜けたように肩を落とした。

『工芸画』がなんのことか分からないけど、どうやらニセモノだったらしい。

（……なぁんだ）

上田さんって人と同様、私も少しガッカリしてしまった。

だって、あの絵に感動してしまったから。

ニセモノの掛け軸を観て感動しちゃうだなんて、私も本当にショボいなぁ。

だけど、本物と信じて持ち込んだ彼こそショックは大きいだろう。きっと、その鑑定に納得いっていないに違いない。

店主さんもお若いものね。まだまだ、未熟なのかもしれないですよ？

なんて、声に出せないことを心の中で呟いていると、意外にも上田さんは、すぐにスッキリとした顔を見せた。

「なぁんや、そっか。これは『もしかして』思ったんやけどなぁ。まぁ、お前が言うなら間違いないやろ」

ふぅ、と息をついて、頬杖をつく上田さん。

（……あれ、こんなにアッサリ納得しちゃうんだ）

様子を窺いながら、簡単に引き下がる彼に、私は拍子抜けしてしまった。

それにしても、『お前が言うなら間違いない』だなんて、あの若いイケメン店主さんのことを随分と信頼しているんだな。

私の目には、どうしても大学生にしか見えないのに。

「なぁ、ホームズ、お前ならいくらの値をつける？」

「そうですね……状態も良いですし、十万くらいでしょうか。買い取りましょうか？」

「結構や。目の利《き》かない骨董品屋に持って行くわ」

上田さんは悪びれもせずにそう言って、掛け軸を風呂敷で包んだ。
……十万。
それだって、かなりの額だ。私なら十万円ももらえたなら、十分すぎるくらい。
話に耳を傾けながらも、いつまでも近くで様子を窺っているのもバツが悪く、そのまま
なんとなく店の奥へと足を向けた。
「……わぁ」と思わず声が漏れる。
ズラリと立ち並んだ棚に、それは綺麗に並べられた壺や茶碗。
反対側にはティーカップセットやキャンドルスタンドといった西洋のものもあった。
高価なものから、私でも手が届く低価格の雑貨まで、たくさんの品物が置いてあるもの
の雑然とした感じはなく、それは綺麗に並べられている。
とても大切に扱われている、そんな感じがした。
(本当にいろんなものがあるなぁ)
中国の宮殿にありそうな壺やタンスに茶器。西洋のアンティークドールまで。
このお人形、とっても綺麗。陶器の肌に、大きな青い瞳、流れるような金髪。
ジッと見ていると、どうしてか寒気がした。
って、この人形、綺麗だけど、なんだか怖いかも。
慌てて目をそらして、他のものを見る。

あ、こっちの置物は、素敵。珍しい紅茶のパックまで置いているんだ。

少し楽しい気持ちになりながら、あれこれと眺め、ガラスケースに入った湯飲み茶碗の前で足を止めた。

「…………」

一見いびつに歪んだ形に見える、白をベースに赤褐色の模様が入った湯飲み茶碗。華美ではない、素朴な装い。だけど、なんだろう、すごく『いいなぁ』と思う。

その場に足を止めて、ジッと眺めていると、

「……お気に召しましたか？」

背後で声がして驚いて振り返ると、ホームズさんが柔らかな笑みを浮かべていた。

「あ、いや、なんか、分からないんですが。なんとなく、いいなって」

緊張に声が裏返る。

こ、この人、近くで見ると、よりカッコイイ。

髪の毛がサラサラで、背も高くて、足も長くて。何より、すごく上品そうで。

目を泳がせている私に、彼はまた柔らかな笑みを口元に浮かべた。

「そうですか、どうぞごゆっくりご覧になってくださいね」

それだけ言って背を向けた彼に、「あ、あの！」と咄嗟に声を上げてしまった。

「はい」と振り返るホームズさん。

紙袋を差し出して、『これ、鑑定してほしいんですが』と言おうとするも、言葉が出ない。

「えっと、あの。……どうして、『ホームズ』って呼ばれているんですか？」

つい、素っ頓狂なことを尋ねてしまった私に、彼は目をパチクリと開いた。

「や、やっぱり、シャーロック・ホームズみたいにいろんなことが分かるからですか？」

気恥ずかしさから、勢いで話を続けてしまう。

すると彼はとても楽しそうに、目を弧の字に細めた。

「……そうですね。君が大木《おおき》高校の生徒で、だけど元々は関西人ではなく関東の人間だということ。京都に移り住んで半年くらいでしょうか。この店に来たのは鑑定してほしいものがあるから。だけど、その品物は自分のものではない、ってことくらいは分かりますが」

「す、すごい」

ズバリと当てられて、目と口が開いた。

「そのくらいは、誰にでも分かりますよ。君の制服は大木高校のものですし、言葉のイントネーションが関東ですから」

ハッとして自分の姿を確認した。紺のブレザーにチェックのスカート。

そうだった、今は制服姿だ、間抜けすぎる。

「で、でも、移り住んで半年くらいってどうして分かるんですか？」

「それはなんとなくの勘です。引っ越して来たばかりという感じもしないし、かといって、しっかり馴染んだという感じもしない。となると、去年の夏休みに引っ越して来たのかなと」

　まさにその通り。去年の夏休み明けに、今の高校に転入した。

　そうして、半年。今は三月だ。

「それじゃあ、鑑定してほしいものが、自分のものではないっていうのは、どうして分かったんですか？」

「ここで鑑定するようなものを高校生が持っているとは思えないですしね。となると多分、お祖父さまかお祖母さまのものと思うのが自然です。何より、自分のものではないから、鑑定してもらうのにためらいを感じている。——違いますか？」

　言葉が出なかった。

……誰にでも分かるなんて言ったけど、普通こんなふうに分かるものなの？

　ううん、そんなことない。

　これが『ホームズ』と呼ばれる所以なのかもしれない。

「だけど、君はお金を必要としていて、背に腹は代えられない状態です。だから、許可を取らずに、それを勝手に持ち出した、といったところでしょうか」

　今度はバクンと鼓動が跳ねた。

「ど、どうして」

分かるんですか？　最後まで言葉が出ない。

「許可を得てるものでしたら、ためらわないでしょう？」

喉元にナイフを突きつけられているかのように、グッと息が詰まる。

「そのためらいが示すように、君は元々家族のものを勝手に持ち出して売ろうとするような子ではないようですね。だけど実行に移した。つまりそれは本当に切羽詰まっている状態であることを意味している。どうしても急ぎでお金が必要なわけがある、違いますか？」

目も口も閉じることを忘れるくらいに、驚いていた。

虚《きょ》を衝《つ》かれて立ち尽くす私に、会話を聞いていた上田さんが呆れたように息をついた。

「おい、清貴《きよたか》、怖がっとるやんけ。それやめろって言うてるやろ。だから、やっぱりお前は『ホームズ』なんやて」

彼の言葉に、本名は『清貴』という名前らしい、若き店主は苦笑した。

「あ、すみません、つい」

申し訳なさそうに眉を下げる彼に、「い、いえ」と首を振った。

それでもまだ、バクバクと心臓がうるさい。

「ちなみに、『ホームズ』と呼ばれているのは、『シャーロック・ホームズ』からきているわけではなくて、ただのあだ名なんですよ」

「……で、ですから、なんでも分かるから、『ホームズ』ってあだ名なんですよね？」

「いえ、苗字が『家頭《やがしら》』というんです。それでホームズと呼ばれているんです」

胸元のネームプレートを指して告げた彼に、動きを止めた。

家に頭で、やがしら？

で、家頭《ホームズ》。

「……ああ、なるほど」

急にくだらなく思えてきた。

すると美恵子さんが鼻息荒く身を乗り出した。

「それだけちゃうで、清貴ちゃんはすごいんやで。この春から京大の大学院生になるんやから」

京大の大学院生？

やっぱり、学生なんだ。しかも、京大だなんて……。

「す、すごいんですね」

心底からそう漏らすと、ホームズこと清貴さんは愉快そうに口角を上げた。

「僕のすごいところはそこじゃないんです」

「へっ？」

「僕はずっと京大に憧れていましてね、祖父も父も京大出身でしたし」

「はあ」

「だけど、現役で京大に入ることはできなかったんです。祖父と遊んでばかりいまして」

……あれ、今、『祖父と遊んでばかり』って言った？

いや、きっと聞き間違いだよね？　お祖父さんとそんなに遊ぶわけがないだろうし。

つまりホームズさんは浪人してがんばって、京大生になることができたとでもいうのだろうか？　それは確かに本当にすごいことだ。私なら浪人なんてせずに、とりあえず自分の入れる大学に進学して、それで満足してしまいそうだもの。

うんうん、と頷いていると、

「それで、僕は京都府大に入ることにしたんです」とホームズさんは人差し指を立てた。

「はっ？　京都府大？」

「ええ、『府大《ふだい》』です。ですが、僕はこの春から京大大学院に入れることになったんですよ。このまま修了した場合、最終学歴はどうなると思います？」

「え、ええと、京都大学院卒？」

「そういうことです。あの京大も、大学院からは割と入りやすいんですよ。府大から京大に横入りコース。なかなか賢い手だと思いませんか？」

目を輝かせながら誇らしげに言う彼に、顔が引きつる。

な、なんか、ちょっとコスい。

「……あ、今、もしかして『コスい』って思いました？」

「い、いえ」

怖ッ！　やっぱ、この人、ホームズだ！

再び冷や汗が出そうになった。

「君の名前は？」

「真城葵《ましろあおい》です」

「素敵な名前ですね。君の名前をつけたのは、お祖父さんかお祖母さんですか？」

「あ、はい」

「なるほど、葵さん一家は、祖父母の家に移り住んだわけですね？」

「そ、そうです」

「お住まいは左京区ですか？」

「そ、そうです」

「下鴨《しもがも》神社が割と近いところ？」

「え、ええ、そうです、どうして分かるんですか？」

目を剥く私に、上田さんと美恵子さんがドッと笑った。

「どうしてってなぁ」

「ええ、それはねぇ」

「『葵』といえばなぁ」

アハハと笑う三人に、一方の私はわけが分からない。

小首を傾げている私に、表情を正したホームズさんがゆっくりと視線を合わせた。

「……葵さん、うちは未成年からは品物を買い取らないんです。保護者の同伴、もしくは正式な委任状を必要とするんですよ」

その言葉に肩の力が抜ける気がした。残念な反面、ホッとした気持ちになったというか。

犯罪を起こす前に捕まった犯人の気分だ。

「ですが、鑑定だけならいたしますので、もし良かったら持参したものを見せていただけますか？　あなたが持って来たものなら、良いものかもしれない」

ニコリと微笑む彼に、「えっ？」と私は目を開いた。

（私が持って来たものなら、良いものかもって、どういうこと？）

「コーヒーを淹れますよ。飲めますか？」

「あ、はい。お砂糖とミルクがあれば」

「それではカフェオレを淹れましょう。ソファーに座っていてください」

楽しげに笑いながら店の裏へと入って行く彼の姿を眺めつつ、私はそっと喫茶コーナーのソファーに腰を下ろした。

「葵ちゃんはどこから来たん？　東京か？」

興味津々という様子で身を乗り出す美恵子さんに、小さく首を振った。

「あ、いえ。埼玉の大宮です」

「転勤で来たん？」

「はい。一昨年祖父が亡くなりまして、祖母が一人になってしまったので、これを機に同居しようって話になりまして。ようやく父の転勤願いが通って、去年の夏にこっちへ」

「もう慣れたかいな」

「……ええ」

そっと頷いた時に、コーヒーの香りが鼻腔《びこう》をかすめた。

顔を上げるとトレイを手にしているホームズさんの姿が目に入った。

「どうぞ。うちはいつもこうして飲み物をサービスでお出ししているんです。僕の趣味でして」と陶器のカップを私の前に置いてくれた。

美味しそうなカフェオレに目尻が下がる。

「去年の夏に越して来たなら、暑かったでしょう」

そう言って、ホームズさんは対面に腰を下ろした。

「暑かったですけど、埼玉も変わらないです。ただ、冬の寒さには驚きました」

そっとカップを手に取って、ゆっくりと口に運ぶ。

三月とはいえ寒暖の差が激しい時期。

ホームズさんの淹れてくれたカフェオレは、少し冷えていた体に染み渡った。

「そら、そやろなぁ。冬の京都はあかんで。底冷えするから」

「せやねん、大阪からこっち来たら、寒くてビックリするで」と、美恵子さんに続いて上田さん。

どうやら上田さんは、大阪の方のようだ。

「下鴨さんは、北の方にありますから、またさらに寒いですからねぇ」

うんうん、と頷く、ホームズさん。

そういえばホームズさんは標準語。元々、どこの人なんだろう？

「ああ、僕はずっと京都ですよ。敬語なので分かりにくいと思いますが」

心の声に答えるように返されて、ブッとカフェオレを吹きそうになった。

ど、どこまで、お見通しなんだ、この人は！

「だから、ホームズ、それやめろて。葵ちゃん、ビックリするやろ、こいつ」

「は、はい。いつもこうなんですか？」

「いえ、いつもはもっと口にしないように気を付けてます。今日はどうしてでしょうかね？」なんて小首を傾げる。

口にしないように気を付けてるってことは、やはりいつもこうして敏感に分かる人なんだ。鑑定できる人って、こんなものなのかな？

「……葵さん、品物を拝見してもよろしいですか？」

気を取り直したように手を出す彼に、「あ、はい」と頷いて、紙袋を手渡した。

「なんやなんや」「二つ入っとるな」と目を輝かせて身を乗り出す上田さんと美恵子さん。

なんだか、居たたまれない感じだ。

「掛け軸ですね」

白い手袋をして丁寧に掛け軸を手に取る。そっと開いて、「これは……」と目を開いた。

掛け軸の中には、力強い達磨《だるま》の絵。

墨で描かれたようなラインに、ギョロリとした目がとても印象的だ。

「……白隠慧鶴《はくいんえかく》の禅画《ぜんが》。驚きましたね、本物です」

落ち着いた口調ながらも、輝いている目から彼が興奮していることが伝わってきた。

「白隠慧鶴は知らんけど、この達磨の絵はどこかで見たことあるわ。へぇ、本物なんか」

嬉々として尋ねる美恵子さんに、彼はコクリと頷いた。

「白隠慧鶴は、臨済宗中興《りんざいしゅうちゅうこう》の祖《そ》と称される江戸中期の禅僧《ぜんそう》です」

「臨済宗中興……って？」

「臨済宗とは禅の教えのひとつでして、『中興』というのは『一度衰えていたり、途絶えたものを復興させる』という意味なんです。つまり禅の教えを再び復興させた多大な功績者ということです」

「あ、なるほど」

「白隠は、禅の教えをそれは分かりやすく説き、中興の祖と呼ばれるようになりました。『駿河《するが》には過ぎたるものが二つあり、富士のお山に原の白隠』と、富士山と並び称されたほどの高僧なんです」

そう告げたあと、ホームズさんは掛け軸に視線を落とした。

「いや、驚きました。この達磨図は状態も良いし、素晴らしいですね」

「なぁ、ホームズ、これ、なんぼになる？」

ヒョイと顔を出して露骨に尋ねる上田さんに、彼は「……そうですね」と目を細めた。

「二五〇万といったところでしょうか」

「に、にひゃく？」声が裏返ってしまった。

これにそんな価値が？　私は数万にでもなってくれたらと思っていたのに。

予想もしない額に、バクバクと心臓が鳴る。

私はとんでもないものを気軽に紙袋に入れて、持って来てしまったんだ。

「もうひとつの方も拝見しますね」

私の動揺を無視するように、ホームズさんは楽しげに紙袋の中に手を伸ばした。

「あ、それも、同じ人の絵だと思います。達磨ではないんですが」

「それは楽しみです」と彼は掛け軸を広げるなり、ピタリと動きを止めた。

「なんや、今度のは赤ん坊の絵か。可愛らしいやん」

「へぇ、白隠もこんな絵を描いたんやな」

楽しげにそう話す二人とは対照的に、ホームズさんは何も言わずに目を見開いていた。

心なしか、顔が青ざめて見える。

「どうした、ホームズ」

「あ、いえ。白隠の……幼子を描いた絵は見たことがありますが、この赤子の絵は、僕は初めて見ました」

ホームズさんの掛け軸を持つ手が、小刻みに震えていた。

「なんや、すごいものやったん？」

「……そうですね。なんていうか、僕には、値段がつけられません」

静かに漏らしたホームズさんに、「えっ？」と戸惑いの声が出た。

値段がつけられない？

ポカンとする私に、ホームズさんはそっと顔を上げた。

「……葵さん、この掛け軸はどなたのものですか？」

「それは……死んだ祖父のものです。古美術がとても好きで、あれこれと集めてまして」

「そうですか。本当につかぬことをお伺いしてしまいますが、葵さんがお祖父さまの遺品を持ち出してしまうくらい、お金を必要としているわけはなんですか？」

しっかりと視線を合わせて優しく尋ねられて、私は直視できずに目を伏せた。

「……新幹線代です。なんとしても埼玉に帰りたかったんです」

「そやなぁ、もうすぐ春休みやし、友達に会いたいわなぁ。でも、お母さんにお願いしてみたらええんちゃう?」なんて言ってくる美恵子さん。

するとホームズさんは『今は黙っていて』という感じで、そっと口の前に人差し指を立てた。その姿に美恵子さんは、慌てて口を閉ざして、肩をすくめる。

「何か、あったのですか?」

再び優しく問われて、私は俯いて下唇を噛んだ。

少しの間のあと、

「それは……」

口を開いたと同時に、急にボロボロと涙が零れた。

「せ、先月、付き合っている彼に、もう別れようって言われたんです」

吐き出すように告げた私に、美恵子さんと上田さんは神妙な顔を見せた。

「……わ、私、その時は『仕方ないな』って思ったんです。遠距離でなかなか会えないし。気持ちが離れても仕方ないなって……すごくつらくて悲しかったけど……」

中学の頃から付き合っていた彼。

同じ高校にも進学できて、ずっと一緒だと信じていた。

だけど、京都に移り住むことになって……。

『今の時代、ネットでもなんでもつながってるから、遠距離なんて問題ねぇよ。俺、絶対京都の大学に行くから』

離れる時は、そう言ってくれた。

それなのに、次第に途切れがちになっていった連絡。

『……ごめん、もう無理なんだ』

やがて、告げられた別れ。

予感はしていたことだ。つらかったけど、その時は、『仕方ない』って思った……。

私の家の都合で離れることになってしまって、申し訳なくも思っていたから。

それなのに……。

「だけど、彼はすぐに他の女の子と付き合いはじめたみたいなんです。その相手が……私の親友で。それを先日、知ってしまって」

そう、あの子は親友だった……親友だと思っていた。

高校に入学して、すぐに仲良くなった子。いつも一緒で、最高の友達だと思っていた。

『葵と彼氏って、すごくお似合いだよね。浮気しないように見張ってるから、安心して京都に行きなよ』なんて言ってくれてたのに……。

私がいなくなるなり、彼に近付いたんだろうか？

私が引っ越すことになって、喜んでいたんだろうか？

彼と親友が付き合うことになるなんて。悔しくて、苦しくて、やるせなくて。

――どうしていいのか分からなかった。

今すぐ埼玉に帰りたかった。

「そうですか、それで、飛んで帰りたくなったと」

頷く彼に、美恵子さんが「まあまあ」と気の毒そうに目を細めた。

「だけどあんた、帰ってどうするん？」

そう問われて、言葉が詰まる。

そう、なんだ。帰ったところで、どうするの？

それは私も何度も思った。

「……た、確かめたいんです。そして言いたいことがいっぱいあるんです！　ひどいって、許せないって、二人に言いたいんです！　だって、本当にひどい！　ひどすぎる！」

今まで我慢してきたものが、堰《せき》を切ったように溢れ出した。

家族に心配をかけたくないと、家では泣けなかったから。

学校でも、まだ、なんでも話せる友達がいなかったから。

……一人で堪えていたから。

本当はずっと、声を上げて泣きたかったんだ。

テーブルに突っ伏して、ウワーッと声を上げて涙を流していると、大きな手がそっと頭を撫でてくれた。

「……葵さん。葵さんが持って来てくれた、この赤子の絵を見てください」

その言葉に、私は嗚咽《おえつ》を漏らしながらも、そっと顔を上げた。

柔らかな曲線で描かれた赤ちゃんの絵。

眠っているのだろうけど、笑っているようにも見える。

「白隠のことは、ご存知でしたか？」

優しく尋ねる彼に、私はそっと首を振った。

この絵は『なんとなく良さそう』と持って来たもので、作者のことなんて何も知らない。

「先ほども言いましたが、白隠は富士山と並び称されるほどの高僧でした。ですが、その名誉が地に落ちたこともあったんです」

「……えっ？」

「白隠が沼津の松陰寺《しょういんじ》に住んでいたころ、ある檀家《だんか》の娘が妊娠するという事件が起きました。父から誰の子かと厳しく問いつめられ答えに困った娘は、日頃、父が白隠を崇拝していることを思い出して、『白隠さんの子どもです』と嘘を言ってしまったんです。白隠の名を出せば、収まると思ったんでしょう。

ですが娘の父は激怒しましてね、生まれた赤ちゃんを抱いて白隠の元を訪れて、『うちの娘を孕《はら》ませるとは、お前はとんでもない生臭坊主だ。さあ、この子を引き取れ』と白隠にその赤子を押し付けたんです」

「え……で、白隠さんは？」

「覚えのない濡れ衣に対して、白隠は一言も弁解せずに、その赤子を引き取りました。彼はその後、人々に『生臭坊主』と罵られながらも、赤ん坊を育てるために必死にもらい乳に歩いて回ったそうです。これに耐えられなくなったのが、赤子を産んだ娘でした。罪の意識にさいなまれ、父親に泣きながら本当のことを打ち明けました。娘に打ち明けられ、事実に衝撃を受けた父は、すぐに白隠の元へ行き平謝りしたそうです。

それに対して白隠は、『ああ、そうか。この子にも父があったか』とだけ言って、赤子を返し、娘や父を非難する言葉は一言もなかったそうです。

この件に関して、白隠は本当はどんな気持ちだったと思いますか？」

そう問われて、何も言うことができない。

裏切られて、濡れ衣を着せられて、罵られて、それでも一言も弁解せずに懸命に赤ちゃんを育てて。間違いだったと謝りに来た父に、赤ちゃんを返した白隠。

どんな気持ちだったか、なんて……。

本当は『何を勝手なことばかり』と怒っていたかもしれない。

「それは、この絵にあらわれているのではないでしょうか？」

ホームズさんは優しい瞳で、赤子の絵を見詰めた。

幸せそうに眠る、赤ちゃんの絵。そこからは『愛しさ』しか感じなくて……。

また、大粒の涙が零れた。

白隠は、どんな仕打ちに遭っても、それを受け入れて愛して包んだのだろう。

押し付けるように与えられても、奪われても。

憎んで、恨んで、許せない、ひどいと、のたまっている自分が恥ずかしい。

こんな素晴らしい祖父の宝物を売って、恨み言を吐きに行こうとしていた自分が恥ずかしい。

「……ッ」

……だけど、それでも、この気持ちはどうしても苦しいんだ。

どうしようもなく、つらいんだ。

涙が止まらない。

「葵さん、もし良かったら、ここで働きませんか？」

ポツリと落とされた言葉に、「えっ？」と戸惑いながら顔を上げた。

「あなたは、なかなか良い目を持っていますし。家族の宝物をコッソリ売ってお金にするのではなくて、ちゃんと働いてご自分で交通費を稼いではいかがでしょうか」

「で、でも」

「旅費が貯まる頃になっても、今のように、どうしても埼玉に帰りたかったら、行って、スッキリするのもいいと思いますよ」

ニコリと微笑むホームズさんの顔を見ていると、何か温かいものが胸にこみ上げる。

――そうだ。

今すぐ帰って、『確かめたい、文句を言いたい』と思っていた。

だからバイトをしている暇なんてないって、今すぐお金が欲しいと思っていた。

そんな衝動にかられた行動で、いろんなことを見落としてしまうこともある。

ある時、何か用意されたように道ができることがあるというのを聞いたことがある。

今、それを感じている。

私は、ここで、この不思議な彼の元で、何かを学びたい。

「はい。……どうかよろしくお願いいたします」

ペコリと頭を下げた私に、上田さんと美恵子さんが「ええやん」と手を叩き、

「良かった、実はお手伝いしてくれる人を探していたんです」

ホームズさんが、優しい笑みを浮かべた。

「――今日は本当にありがとうございました。これからどうか、よろしくお願いします」

改めて白隠の掛け軸を紙袋にいれて、頭を下げた私に、

「こちらこそ、これからよろしくお願いします」

ホームズさんも頭を下げた。

「それでは」と私は店を出ようとして、足を止めて振り返った。

「あの、どうして、私が『良い目』を持っているって言ってくれたんですか？　それに、どうして、住んでる場所まで分かったんですか？」

気になっていたことを尋ねると、彼はクスリと笑った。

「葵さんがさっき足を止めて見入っていた茶碗。あれは、『志野《しの》の茶碗』なんです。僕の祖父の宝のひとつなんですが」

「シノの茶碗？」

「桃山時代の国宝でしてね、失くしてしまったら、もう二度と作られない名品と言われているんですよ。値段にすると、六千万といったところでしょうか」

「ろ、ろくせんまん？　そんなすごいものをあんなところに置いといて大丈夫なんですか？」

「これはここだけの話に」

ホームズさんは口元に人差し指を立てて、イタズラに微笑んだ。

「だけど私、さっきの富士山の絵に感動しちゃったんですよ？　あれ、ニセモノだったんですよね？」

「ああ、あれは『工芸画』という複製でしてね、大観自身、『自分の作品をより多くの人に観てもらいたい』と工芸画の普及にとても尽力していて、使っていた墨も渡していたくらいなんです。

本人も認めていたくらいのものですから、本物とはいかなくても、なかなかの迫力を見せてくれるのも工芸画なんですよ。あれに感動できるのも、また良い目を持っていると思います」

「そ、そうなんですね。で、住んでるところが分かったのはどうしてですか?」

「ああ、それは……そのうち、すぐ分かると思いますよ」

ホームズさんはそう言って楽しげにクスクスと笑った。

——そのうち、分かる?

小首を傾げながら、改めてお礼を言って、店を出た。

もう薄暗くなった空。三条商店街のアーケードは明るくライトアップされて、昼間とはまた違った賑やかな様子を見せていた。

さて、帰ろう……。

そして、これから、ここでのバイトをがんばろう。

今日を境に、私の運命が変わるかもしれない。

そんな不思議な予感がした、まだ肌寒い春の出来事だった。

第一章　『願わくは桜の下にて』

1

『葵さん、もし良かったら、ここで働きませんか？』

京都寺町三条にある骨董品店『蔵』にいた不思議な青年。

家頭清貴さん、通称『ホームズ』さんにバイトに誘われてから、三週間が経った。


「それじゃあ、いってきまーす」

四月上旬の土曜日。

念入りに髪を整え終えた私は、ドタバタと階段を駆け下りて玄関へと向かった。

「こら、葵、階段を駆け下りない！」

リビングから顔を出して、声を上げる母に、「はーい」と簡単な返事をして、スニーカーに足を滑らせる。

「今日はバイトなの？」

「うん」

「それにしては、出るの早くない？」

時計を確認しながら尋ねる母に、

「今日はちょっと自転車で遠回りしようと思って。それじゃあ、いってきます」

玄関を飛び出して、そのまま家の前に置いてある自転車に跨《また》がった。

漕ぎ出した瞬間、ふわりと風が頬を撫でる。

新緑の香りを含んだ、暖かい春の風だ。

（ああ、気持ちいい）

夏は殺人的に暑いし、今のこの季節が本当に最高だと思う。

自転車を軽快に走らせて、下鴨本通《しもがもほんどおり》という縦の通りを南へと下っていく。

今出川通《いまでがわどおり》という横道を越えると、『下鴨本通』は『河原町通《かわらまちどおり》』という名に変わる。

バイト先である寺町三条に行くには、この河原町通をただ南下していくだけ。

だからいつもは、このままひたすら真っ直ぐに走っているんだけど、今日は今出川通を左（東）に曲がり、鴨川《かもがわ》へと向かった。

この今出川通は、高野川《たかのがわ》と賀茂川《かもがわ》という二つの川がひとつになって『鴨川』となる、合流部分を臨むことができる。

賀茂川は高野川と合流してから、『鴨川』と漢字が変わるらしい。

なんでも、この合流地点も『パワースポット』だとか。

わざわざバイトに行くのに、少し遠回りしたのはパワースポットと呼ばれる川の合流を見たかったから……ではなくて。目的は、川辺にズラリと並ぶ、満開の桜。

「わあ、やっぱり綺麗！」

自転車を走らせながら、思わず声が出た。

京都は今まさに、桜の季節を迎えていた。眩しい日差しの中、キラキラと光る鴨川に、たくさんの花びらを散らす桜並木。まさに絶景だ。

きっと、この景色を見るために、遠くから訪れる人も多いのだろう。自転車でフラリと見に来ることができる私は、贅沢者なのかもしれない。

そのまま河川敷に下りて、南へ向かって走る。鴨川を横目に桜の下、ペダルを漕《こ》ぐ。

本当に最高だ。川岸でイチャつくカップルの姿さえなければ、もっと最高なのに。

仲良さそうなカップルの姿が目に入るなり、ふと、別れた彼のことを思い出してしまう。

同時に、ズキンと胸が痛んだ。

彼が親友と寄り添う姿を勝手に想像して、ズキズキと胸が痛む。

こうなると、ダメだ。彼に告げられた別れがつらくて、友達と彼が付き合っていることがつらくて、『どうしてなんだろう？』って、やりきれない思いがグルグルとループする。

だけど、二人が付き合っているというのは、人づてに聞いた話だ。

本当はデマなのかもしれない。何かの間違いなのかもしれない。今すぐ埼玉に行って、確かめたい。

(ダメダメ。今考えても仕方ない)

小さくかぶりを振って、しっかりと顔を上げた。

優しい風に舞う桜の花びら。

その美しさに、切り刻まれたように痛む心が、ほんの少し癒される。

とりあえず今は、バイト代を貯めることだけを考えよう。

その後のことは、その時に考えようって決めたんだ。

しっかりとグリップを握って、ペダルを漕ぐ。

そうして約十五分も走っただろうか?

『御池通《おいけどおり》』まで来たことを確認して、上の通りへと出た。少し西に移動すると、京都市役所が見えてきた。市役所とは思えない石造りの洋風建築。昭和初期に建てられたそうだけど、明治大正ロマンを思わせるレトロさと重厚さがとても素敵だ。

(はじめて、この市役所を見た時はビックリしたなぁ。さすが京都、いろいろとすごい)

そんなことを思いながら、御池の駐輪場に自転車を停めて、そのまま三条商店街のアーケードへと向かった。

午前十時五十分。バイトは十一時からの約束。

どうやら遅刻せずに済みそうだ。

2

いつものように、店の前で呼吸を整えてから、アンティークな扉を開けた。

「おはようございます」

カランとドアベルが鳴ると同時に、カウンターに座る二人の男性の姿が目に映る。

「おはようございます、葵さん」

一人は私をバイトに誘ってくれたホームズさんこと、家頭清貴さん。

そしてもう一人は……。

「おはようございます、葵さん」

ホームズさんのお父さんの家頭武史《たけし》さん。

細身の身体に眼鏡にベスト姿、穏やかな微笑みはホームズさんによく似ている。

「今日もよろしくお願いします」

私は改めてペコリと頭を下げた。

ここにバイトに来てしばし。ようやく、この店のことがいろいろと分かってきた。

あの日、バイトに誘ってくれたホームズさんを『若き店主』と思ってしまったけれど、本当は違っていて、このお店の実際のオーナーは、ホームズさんのお祖父さんだそうだ。

だけど、そのお祖父さんは、伝説の鑑定士なんて呼ばれる『国選鑑定人《こくせんかんていにん》』で、全国各地、はたまた世界を飛び回っているらしい。

真の店主がいない間、お父さんとホームズさんは本業に勤しむ傍ら、交代で店を管理しているとか。

そんなお父さんの本業は——チラリと彼の手元を見た。

右手に万年筆を持ち、原稿用紙に文章を書き綴っている——そう、お父さんの本業はなんと作家さん。歴史小説やコラムを書いているとか。

こうして店番をしながら、いつも執筆をしている。

(あ、ちなみにホームズさんの本業は、もちろん学生だ)

「葵さんが来ると、店内がパッと華やぐようですね。うちは男ばかりですから」

私の視線に気付いたのか、顔を上げて柔らかな笑みを湛えるお父さん。

「そんな……」

照れを感じながら、そそくさとエプロンをした。

常連さんに聞いたところ、家頭家には女性がいないそうだ。

オーナーであるお祖父さんは奔放な人らしく、とうの昔に離婚をしていて独身。

お父さんの奥さん、つまりホームズさんのお母さんはホームズさんが二歳の時に病気で亡くなってしまったとか。

そんなわけで、男ばかりの家頭家。

同じ苗字の三人で店を管理しているため、お祖父さんが『オーナー』、お父さんが『店長』、ホームズさんが『清貴』もしくは『ホームズ』と呼びわけられている。

（それにしても、家頭父子が揃うなんて珍しいな）

この店には、ホームズさんか店長、どちらかがいるという感じだから。

「ああ、もうすぐ僕は出掛けるんです。それで今日は父に入ってもらっていまして」

ホームズさんはこちらを見て、ニコリと笑った。

驚きから息が詰まって、ゲホゲホとむせてしまう。

「だ、だから、そうやって心を読むのはやめてください」

「あ、すみません。珍しそうに僕たち二人を交互に見ていたんで」

並外れた観察眼を持つホームズさん。実際に心が読めるわけではなく、その人の仕草や言動から、いろんなことが分かるそうだ。

「『心を読む』だなんて、葵さんも相変わらず大袈裟ですね」

楽しげにクスクス笑う彼に、顔が引きつる。

不意に考えていることを何度も当てられる私にとって、実際に心を読まれているようなもの。決して、大袈裟じゃなかった。

……ホント、心の声に答えられると、心臓に悪いっていうか。

「そうだ、葵さん。ちょっと二階に来てください」

思い出したように立ち上がるホームズさんに、少しドキリとしてしまった。

「あ、はい」

ホームズさんが二階に私を呼んでくれる時。

それは、いつも決まって、『あるもの』を見せてくれる時だ。

ドキドキしながら、ともに店内の階段を上がる。

昇りきったところに扉があり、彼は腰につけていた鍵の束を取り外して、カチャリと開錠した。そこは、小さな窓と換気扇があるだけの飾り気のない部屋。

棚の上に商品や箱が積み上げられているのが見える。

二階のこの部屋は、見たままに『倉庫』と呼ばれていた。

ホームズさんはそのまま倉庫を突っ切って進み、奥にある扉の前で足を止めた。

パッと目についたのは、南京錠。

それ以外にも、目立たないけれど、鍵がつけられている。扉横の壁にはコンセントのふりをしたカバーがあり、そこを開くと電卓のような数字盤《すうじばん》が出てくる。

ナンバー入力式のデジタルロックというものだ。

ホームズさんは手際よくナンバーを入力し、次に南京錠を含む他の鍵を開ける。

一見、倉庫奥にあるただの小部屋だけど、そうじゃない。

まさに『厳戒態勢』という感じだ。

ようやく開いた奥の部屋。

エアコンで空調を整えられているものの、窓はなかった。

照明がつくと同時に、それはスッキリとした小部屋が目に映る。

部屋の中央にテーブルがあり、その上には、スッポリと布が掛けられた『何か』が置かれていた。

「これは昨夜、祖父が持ち帰った品なんですが……」

ホームズさんは素早く白い手袋をして、布をスッと取り除く。

そこには風呂敷に包まれた、高さ五十センチほどの箱があった。手際良く風呂敷がほどかれ、見えてきたのはシンプルな木箱。

さらにその木箱の蓋を開けると、高さ四十センチほどの壺《つぼ》が姿を現した。

その壺は、肩部《けんぶ》から大きく緩やかに膨らむ曲線を描き、胴部《どうぶ》から裾《すそ》にかけては長い斜線をもって小さくすぼまっている。

白い肌に、コバルトブルーで描かれた文様が、圧倒されるほどに緻密《ちみつ》で美しい。

「わぁ」

文様《もんよう》は葡萄《ぶどう》だろうか？　葉の先端まで、それは綺麗に丁寧に描かれていた。

「……なんだか、すごいですね」

なんて乏しい語彙力。でも、これしか言えなかった。

「中国の元《げん》時代の『染付《そめつけ》』という磁器《じき》です」

「磁器って、陶器とは違うんですか？」

「似ていますし、陶器と磁器の厳密《げんみつ》な境界線というのはないんですが、磁器は素地が白くて透光性がありまして、叩くと金属音がするんです」

「はあ、これは本物なんですか？」

「ええ、もうすぐ京都のデパートで展示会がありまして、こちらの品は外国からお借りしているものなんですが、その前に祖父が鑑定を依頼されたんですよ」

「それじゃあオーナーは、デパートに鑑定を依頼されたということですか？」

「はい、諸外国からお借りした品とはいえ、もし偽物を展示してしまっては、そのデパートの評判に関わりますから」

『国選鑑定人』であるオーナーは、時にこうした鑑定を依頼されることもあって、私のような庶民が間近でお目にかかれないような品が、時折ここに持ち込まれる。

そんな素晴らしい品がこの店にある時、ホームズさんは、必ず私に見せてくれていた。

「このコバルトはイスラム圏からもたらされたもので、本当に美しく深い藍《あお》ですよね」

「はい、本当に綺麗な藍色《あいいろ》」

「形はとても均整がとれていて安定感があります。ラインの美しさと、縁の部分まで手を抜いていない完璧さ。何より、この文様。圧倒される美しさでしょう」

まるで自分の自慢の品のように、ウットリと目を細めて熱っぽく語る。

本当に古美術を愛しているんだろうなと、微笑ましさを感じてしまう。

でも、ホームズさんが熱く語るのも分かる。

素人目にも素晴らしい品だ。だけど、私のような下賤《げせん》な庶民が気になるのは……。

「これって、いくらくらいになるんですか？」

「そうですね……。以前、海外のオークションで、元染付《げんそめつけ》が三十二億で落札されたというニュースが流れたことがありますね」

「さ、さんじゅうにおくっ？　これがですか？」

「これが、というわけではないですが、そのくらいの価値を感じる方もいるということですよ」と楽しげに目を細めるホームズさん。

「は、はぁ」

世界が違いすぎて、ついていけない。

宝石や金に心を奪われるように、古美術に魅せられる者がいるということなんだ。

古美術を集めていた、うちのお祖父ちゃんも、その一人だったんだろうな。

「……ホームズさんも大金持ちだったら、大金払ってもこの壺をほしいと思いますか？」

「いいえ」

アッサリ答えたホームズさんに、驚いて顔を上げた。

「えっ、そうなんですか？　だって古美術を愛してますよね？」

「ええ、そうですね。でも、僕は『手に入れたい』とは思わないんです。こうして素晴らしい品を観ることができれば、それでいいんです。生きている間にひとつでも多く、こうした美しい作品を観たいと思っていますし、そのためには世界のどこまでも行ける気持ちでいます。ですが、その品を手に入れたいとは思わないんですよ。こうして眺めて、胸に、記憶に留められたなら、それで幸せなんです」

胸に手を当てて、穏やかに笑みを湛《たた》えるホームズさん。

「そう、なんですか」

少し拍子抜けしながら、なんとなく頷いた。

なんだか意外なようで、『ホームズさんらしい』とも感じたり。

「僕の場合、壺や掛け軸だけじゃなく、寺や神社、海外の城や塔にも魅力を感じていますから、それはどうやっても手に入れられませんし、家の中に飾ることはできませんよね？」

イタズラな笑みを浮かべる彼に、「たしかにそうですよね」と私も小さく笑った。

「これは、もうすぐスタッフが取りに来られるので、その前に葵さんにお見せすることができて良かったです」

再び木箱の蓋をかぶせて、しっかりと風呂敷で包む。

ともに部屋を出て、鍵をかけるホームズさんをなんとなく眺めた。

……厳重ではあるけど、三十二億がこんなところにあって、大丈夫なんだろうか？

余計なお世話かもしれないけど、そんな心配をしてしまう。

「大丈夫ですよ。うちのセキュリティは、葵さんが思う以上に厳重ですから」

鍵を手に言うホームズさんに、またゲホゲホとむせてしまった。

「や、やっぱり、心を読まれるのは、心臓に悪い」

顔を引きつらせる私に、ホームズさんは楽しげに笑った。


二人でそのまま階段を下りると、常連の上田さんが喫茶コーナーのソファーでくつろいでいる姿が目に入った。

「おー、ホームズに葵ちゃん！」

私たちを見るなり、満面の笑みで手を上げる上田さん。

「これは上田さん、いらっしゃい。父に会いに来られたんですか？」

彼は、店長と大学時代からの友人らしい。

つまり彼も元京大生。

大阪で経営コンサルタントをしているらしい彼は、家頭家の影響で古美術にも興味があり、良さそうなものを見付けては、鑑定をしてもらうために『蔵』にやって来るそうだ。

「せやねん。今日は新刊買うてやったから、サインしてもらおう思ってな」

上田さんはカバンの中から、『後宮《こうきゅう》』という本を取り出した。

その本を目にするなり、「わあ、それが店長の本ですか？」と身を乗り出してしまった。

「今まで、どんな本を書いているのか、何度、聞いても答えてくれなくて」

本の表紙を見て、『伊集院武史《いじゅういんたけし》』という筆名に、ドキドキしてしまう。

「店長のペンネーム、『伊集院武史』っていうんですね、素敵です」

すると店長は弱ったように、額に手を当てた。

「いや、葵さん、私の作品については忘れてもらって構いませんから」

「ええ？　どうしてそんなことを？」

「葵ちゃん、こいつは照れ屋やねん。ええわ、これあげるからねっとり読んだって」

「嬉しいです、上田さん、ありがとうございます」

本を受け取って、ギュッと抱き締めた。

「……非常に読みにくい本ですから、お薦めできませんよ」

目をそらしながら言う店長。頬がほんのり赤くて、なんだか可愛いと思ってしまう。

「お前もベテラン作家やねんから、ええかげん、慣れたらどうや」

呆れたように肩をすくめる上田さんに、店長は顔を背けた。

「デリカシーのない大阪男には分かりませんよ」

「ふん、この気取った東京育ちが。関西の血が流れとるくせに、東京に魂売りよって」

そう、店長は京都で生まれたものの、育ちは東京だそうだ。

オーナーが離婚したのは、店長が幼い頃。その後、忙しいオーナーは一人で子どもを育てられないと、店長を東京にいる親戚の家に預けたとか。

そんな店長が京都に戻って来たのは、大学に入る時だったらしい。

そんなわけで、店長は普通に標準語。

ホームズさんが標準語を使っているのは、父親である店長の影響なのかもしれない。

(ちなみに、これは全部、上田さんからの情報なんだけど)

「今、コーヒー淹《い》れますね」と裏の給湯室に向かうホームズさん。

「おおきに。あと、ホームズに識《み》てもらいたいものがあってん。コーヒー淹れたら頼むわ」

「ええ、そんな気がしていました」

ホームズさんはクスリと笑って、給湯室に入って行った。

「なんや、お見通しか。相変わらず『ホームズ』やな」

上田さんは肩をすくめたあと、ニッと笑って私を見た。

「葵ちゃん、知っとった？　清貴に『ホームズ』ってあだ名をつけたのは俺なんやで」

「……えっ？　でも、家頭だから『ホームズ』なんですよね？」

「あれは、あいつが対外的に言ってるだけで、ホンマはちゃうねん」

「どういうことなんですか？」

「あれは、清貴が小学校低学年の頃やったやろうか？　うちに遊びに来てる時に、俺に『なぞなぞしたいから問題出せ』って言うてきてな」

「あー、小さい子って、よくそういうことを言い出しますよね」

親戚の子なんかも、会えば、クイズしよう、しりとりしようと、エンドレスだ。

「せやろ？　で、あれこれ問題を出したら、あいつ賢くてすぐ答えよるねん。出しても出しても『次の問題、次の問題』うるさくて、めんどくなってきてな、『それじゃあ、俺んちの階段は何段や？』って聞いたら、『十五段』って即答したんや。驚いて『お前、テキトーに答えたやろ』って言うたら、『違う、一度昇ってるから分かる』言うねん。で、数えたらホンマに十五段あってん。葵ちゃん、自分の家の階段の数、分かる？」

改めて問われて、言葉に詰まった。

……そういえば、私、毎日昇り降りしている自分の家の階段の数を……知らない。

「わ、分からないです」

「せやろ？　そんな顔せんでもええねん。普通はそんなもんや。まあ、俺はそん時に清貴のことを『こいつ、ホームズや』って思ってん」

「……でも、どうして、それが『ホームズ』になるんですか？」

小首を傾げた私に、店長がクスリと笑った。

「シャーロック・ホームズというのは、そういう人物とされているんですよ。階段を見たら、その時にその段数まで頭にインプットするという人間なんです」

「そ、そうなんですね、すごい」

心底から感心してしまった。

「それは持って生まれたものなんですよ。みんなと同じものを見ていても、大概《たいがい》の人間が見落としてしまうものも、清貴はすべて情報としてキャッチして処理するんです」

「だから、鑑定もできるんですね。オーナーもそういう方なんですか？」

「父は……また、少し違いますが、真贋《しんがん》を見分ける類稀な才能を持っているんです」

「お前は鑑定、あかんからなぁ」

すかさずそう言った上田さんに、店長は嫌味なほどにニッコリと笑みを浮かべた。

「それはそれは、お役に立てずに申し訳ございません」

「いやいや、ええんよ」と互いに嫌味な笑みを浮かべ合う二人。

あわわ、と私が目をグルグルさせていると、

「仲が良いのは結構ですが、葵さんが困ってますよ」

コーヒーの香りとともにホームズさんが姿を現した。

陶器のコーヒーカップが四つ。ひとつだけカフェオレが用意されている。私のだ。

「ありがとうございます」

美味しい。ホームズさんが淹れてくれたカフェオレが、本当に大好きだ。

「おおきに。で、これ識《み》てほしいねん」

上田さんはグイッとコーヒーを飲んで、せわしなく紙袋の中から箱を取り出した。

「取引先の社長の家にあってん。『これは！』と思って借りて来たんやけど」

「分かりました。では、あらためさせてもらいますね」

ホームズさんは再び白い手袋をして、そっと箱を開けた。

中にあったのは、白い磁器に青い文様の小さめの壺。

「……これは」

「これ、染付やろ。元染付ちゃう？」

「なんていうか……奇遇ですね」

ホームズさんは愉快そうに目を細めて、そのまま私に視線を移した。

「葵さんは、どう思われますか？」

「えっ？」突然振られて、戸惑いながら壺を見た。

（……これって、さっき上で見たのと同じ種類ってことだよね？）

ゴクリと息を呑んで、目を凝らした。

上で見たものと同じ価値があるとするなら……その割には、これは青が綺麗じゃない。

さっきのは深い藍色、とても綺麗なコバルトだったけど、これは紛れもなく『青』だ。

何より文様。上のは文様《もんよう》がとても緻密《ちみつ》で、葉の尖った先まで神経が行き届いているかのように、それは綺麗に描かれていた。これには、その緊張感がない。

文様だけではなくて形もそうだ。上部の縁部分とか、こっちは歪《ゆが》みが気になる。

全体的にあの壺を真似ようとしているのは分かるけど、どうしてもどこかでボロが出てしまっているというのか。

上で見た壺には、得体の知れない『圧倒させる何か』があった。

それに比べて、これは見ても何も感じない上、ハッキリ言ってお粗末すぎる。

「……えっと、偽物だと思います」

ポツリと漏らした私に、ホームズさんはコクリと頷いた。

「その通りですね」

上田さんはギョッと目を開いた。

「なんなん、葵ちゃんも目利きなん?」

「そうですね、葵さんは元々、良い目を持っていますし、何より先に本物を見ていれば、偽物がよく分かるものなんですよ」

ホームズさんは同意を求めるように、私に目を向けた。

「そ、そうですね。ついさっき、展示会に出す染付を見せてもらったばかりで」

だからこそ、強烈に違いを感じた。もしかしたら上田さんが持って来た品だけを見ていたら、『素敵』と思ってしまったかもしれない。

「祖父は『なるべく、本物だけを観ていくといい』とよく言ってました。そうすると偽物を見た時に、お粗末さを感じるようになるんです」

……なるほど、激しく共感だ。

「誰でも本物に触れる機会に恵まれています。美術館や博物館には、いつでも素晴らしい作品が展示されていますからね。僕はもっとみなさんに、そうした施設を利用してもらいたいんですけどねぇ。素晴らしい作品を観る機会があるのに行かないというのは、僕にはもったいなくて仕方ありません」

小さく息をつくホームズさんに、上田さんはプッと笑った。

「なんや、回しモンかいな」

「そうかもしれません」

悪びれないホームズさんに、みんなでクスクスと笑った。

「しっかし、これは偽物やったか。まぁ、元染付なんて、なかなか出てくるわけがないってこっちゃな。社長に期待持たせること言うてもうたわ」

上田さんは残念そうに、壺が入った木箱を紙袋の中に入れた。

「ですが、悪い品でもありませんよ」

「そんじゃ、これはなんぼや」

「……五万くらいでしょうか。その方はいくらで求められたんですか？」

「聞かんといてやって」

肩をすくめる上田さんに、きっとゼロがひとつ二つ足りないくらいの金額で買ったのだろうと思い、私は顔を引きつらせた。

「ご本人が気に入ってコレクションしているならば、それが一番だと思いますよ。そういう場合、価値はご本人が決めるものです」

ホームズさんは楽しげに笑みを浮かべたあと、店内の柱時計に目を向けた。

「あ、そろそろ時間ですね。それではお父さん、行ってきます」

「ああ、よろしく」

店長はコクリと頷き、「そうだ」と私に目を向けた。

「葵さんも同行されてはどうですか？　勉強になるかもしれないですし」

その言葉に、私はポカンとして振り返った。

「えっと、どちらに行かれるんですか？」

「仁和寺《にんなじ》ですよ。ちょうど、桜も見頃です。父もああ言っていることですし、一緒に行きましょうか」

ニッコリと微笑むホームズさんに、私は「はい！」と強く頷いた。

3

――昔、春と秋の京都は『格別』だと誰かが話しているのを聞いたことがある。

そのことを今は亡き祖父に伝えてみたら、『春と秋にかかわらず、京都は四季折々に良さがあって、季節ごとに名所があるんやで』と頭を撫でてくれた。

『それじゃあ、桜の名所はどこ？』と尋ねた私に、『そうやなぁ、いろいろあるけど、まずは仁和寺さんやなぁ』

あの時、そう答えてくれた祖父。

それから私の中では、『京都の桜の名所は、仁和寺』というイメージがしっかりとついてしまった。

……だけど、行ったことがなかったりする。

「――そうなんですか、葵さんはまだ仁和寺に行ったことがないんですね」

車を運転しながら相槌を打つホームズさんに、「はい」と頷きつつ、フロントガラスから見えるジャガーのエンブレムをチラリと見た。

「確かに桜と言えば『仁和寺』なんてイメージもありますが、平安神宮、平野《ひらの》神社と見所はたくさんありますよ。哲学の道もいいですよね」

楽しげに話すホームズさんに、なんとなく頷きつつ、ジャガーのエンブレムが気になってならない。

だって、この車って学生が乗るような車じゃないよね？

「……あの、ホームズさん、すごい車に乗ってるんですね」

「ああ、これはオーナーの車なんですよ」

「お、お祖父さんのですか？」

「ええ、祖父はジャガーが好きなんです。設立者であるライオンズの、『美しい物は売れる』ということだわりの思想に、とても感銘を受けたそうで」

「は、はあ」

「でも、あまり運転する機会がなくて、今や『蔵』の社用車のようになってますね」

「それはすごい社用車ですね」

思わず顔を引きつらせた私に、ホームズさんは愉快そうに笑った。

そうして、三十分ほど走り、仁和寺に到着した。

桜の季節の土曜日ということで駐車場は満車だったけれど、私たちは寺に呼ばれた客人として、別所に案内してもらうことができた。

境内正面に見えるのは、巨大かつ重厚な『二王門《におうもん》』。

「……重厚というか、すごく立派。歴史を感じますね」

相変わらずの乏しいボキャブラリーで感想をこぼす私に、ホームズさんはニコリと微笑んだ。

「そうですね。仁和寺の歴史は古く、平安時代に建てられまして、鎌倉時代まで門跡寺院《もんせきじいん》として最高の格式を保ちました。ですが応仁の乱の際に一山のほとんどを焼失するという悲運に見舞われたんです。再興が叶ったのは江戸時代に入ってからでして。

この二王門はその頃に建てられたものなんですが、円柱形の柱、その上の三手先《みてさき》、側面《そくめん》破風《はふ》の懸魚《けぎょ》に至るまで、平安時代の伝統和様《でんとうわよう》なんです」

サラサラと水が流れるように出てくるうんちくに、「へぇえ」と感心の声を上げることしかできない。

二王門をくぐると、広々とした参道が見えてくる。

さすが桜の時期、人で賑わっていてお祭りのようだ。

正面にある鮮やかな朱色の中門をくぐると、すぐ左側に桜の木々が並んでいた。

これはまさに『見事』の一言だ。

印象的なのは、どの桜も背が低い。二〜三メートルといったところだろうか？

「……ここの桜は、どれも小さいんですね」

「ええ、ここにある桜は、『御室桜《おむろざくら》』と呼ばれているんですが、不思議なことに、どの桜も背が低いんです。植木鉢のように根が張って、それ以上育たないのではと言われてもいますが、正直なところよく分かっていないそうで、科学的に解明しようと調査にも入っているそうですよ」

「えっ、科学調査に？　こういう品種じゃないんですか？」

「そうなんです、品種というわけではないんですよ。ちなみに京都では鼻の低い方のことを『御室桜』なんて、冗談で言ったりすることもあるんです」

「低いハナで、御室桜。京都は揶揄《やゆ》も上品ですね」

肩をすくめた私に、ホームズさんは「確かに」と小さく吹き出した。

そんな私たちの元に、一人の僧侶が歩み寄って来た。

空という黒い着物姿で、穏やかな笑みを湛えている。

「家頭様、ようこそおいでくださいました。門跡《もんぜき》がお待ちです」

ペコリと頭を下げる彼に、私たちも頭を下げた。

「どうぞこちらに」と歩き出す僧侶。

「あの、門跡というのは誰のことなんですか？」小声で尋ねた私に、

「ここの住職のことですよ」

と、ホームズさんは答えてくれた。

寺内に入り、「こちらでお待ちください」と和室に案内された。

テーブルの上には、すでに茶菓子が用意されていた。

私たちは並んで座って、外に目を向けた。開放されたままの障子。そよそよと流れてくる心地よい春風。眩しいほどの青空の下、桜がとても美しい。

少しの間、桜を眺めていると、

「お待たせいたしました」

襖があいて、門跡が姿を現した。

「お久しぶりです」

頭を下げるホームズさんに、門跡は嬉しそうに目を細めた。

「いや、これは、大きくなりましたね、清貴君」

どうやら、顔見知りらしい。

「今日は祖父ではなく、僕で申し訳ございません」

「いやいや、誠司《せいじ》さんから、この件は清貴君で大丈夫やということですから」

誠司さんというのは、オーナーのこと。

なるほど、今回のことは元々オーナーにきた話だったんだ。

で、オーナーが自分ではなくホームズさんを代理に遣わせたというわけなんだ。

門跡とホームズさんは少しの間、楽しげに世間話をし、

「――で、今日はこれをまず、識《み》てほしいと思いまして」

すぐに本題に入った。

テーブルの上に、そっと置かれた小さな桐箱。

「……では、あらためさせて頂きます」

いつものように白い手袋をして、箱を自分の方に引き寄せるホームズさん。

丁寧に蓋を開けると、そこには抹茶碗が入っていた。

手に取って、ジッと見詰める。

側面に桜が描かれた、それは素敵な茶碗だ。

「京焼《きょうや》きですね。とてもふっくらとしたライン。野々村仁清《ののむらにんせい》の品で間違いありません。素晴らしい品です」

ニコリと微笑むホームズさんに、門跡は「そうですか」と笑みを返す。

野々村仁清……って、ダレ？　横で、そんなことを思っていると、

「野々村仁清とは、江戸時代前半に活躍した陶工《とうく》なんです。本当の名前は『清右衛門《せいえもん》』といいます。『野々村』は彼が生まれた地名で、仁清の『仁』は仁和寺の仁。清は自分の名前、清右衛門から取ったものなんです」

いつものように私の心中を察して、すらすらと答えてくれるホームズさん。

「つまり、野々村生まれで仁和寺の清右衛門さんってことで、野々村仁清さんなんですね」

でも、どうして、仁和寺の仁の字が入っているんだろう？

「彼は京焼《きょうや》き色絵の祖と呼ばれる素晴らしい陶工で、当時の仁和寺門跡から受領号『仁』を授けられたことで、『仁清』となったわけです」

尋ねる間もなく、答えてくれる。相変わらずの恐ろしさだ。

つまり、この寺と縁のある人の作品なわけだ。

で、この茶碗の鑑定をしてもらいたかったというわけなんだよね？

これでお仕事は終わりなのかな？

そう思っていると、

「……今回は鑑定だけではないですよね？」

顔を上げたホームズさんに、門跡は少し驚いたような表情を見せた。

「いや、そうなんですよ。実はこの茶碗は、ある人に相談をされたものでしてね。ちょっとお待ちください」

門跡はそう言って、廊下に待機していた僧侶に目配せをした。僧侶はそそくさとその場を離れて、少しの間のあと、一人の男性を引き連れて戻って来た。

彼は和室に入ったところで正座をし、ペコリと頭を下げた。

「はじめまして、岸谷《きしたに》と申します」

見たところ普通の中年男性だ。ちょっと、くたびれているような印象。

「この茶碗は彼のものなんです。……岸谷さん、これは本物だということです」

そう告げた門跡に、岸谷さんは「そうですか」と頭をかいた。

どうしてなのか、特に嬉しそうな素振りでもない。

「……何か分からないことがおありなんですね？」

すかさず尋ねたホームズさんに、岸谷さんはビクリとして顔を上げた。

「あ、はい、そうなんですわ。実はこれ親父からもらったもので。先日死なはったんですが、遺言書に『あの仁清の茶碗に、俺の気持ちがすべて入っている』と書かれてまして。野々村仁清といえば仁和寺だということを聞いて、門跡に相談させてもらったんですわ」

亡くなったことを『死なはった』という言い回しに戸惑いを感じるのは、私がまだ関西弁に慣れていないからなんだろう。

「私も相談を受けたもののこれが本物かも分からず、誠司さんにお願いしたというわけで」

そう続けた門跡に、ホームズさんは「なるほど」と頷いた。

「でも、岸谷さん、本物やったということは、それがお父さんの気持ちいうことじゃないでしょうか？　しかるべきところに出したら、糧になると思ったということかもしれへんで。清貴君、これはいくらくらいになるもんやろ」

「そうですね。状態も良く、桜も美しいですから、五百は出すという方もいるかもしれません」

——五百。

もちろん、五百円ではなく、五百万、だ。相変わらず桁違いの世界。

「いや、ちゃうんですわ。生前、親父はこの茶碗を何があっても売るなと言いはりまして」

「ほうですか」

よく分からない様子で、腕を組む門跡。

「……あの、ぶしつけですが、岸谷さんは、絵を描かれていますか？」

突然尋ねたホームズさんに、岸谷さんは驚きながら頷いた。

「あ、はい。一応、描いてます。なんでそれを……」

「手にペンダコと、爪に墨のようなものが付着してます。……絵画とかではないですね。絵画の類でしたら、そういうペンダコはできないように思われますし。すぐに自らの職業を伝えずに『一応』と告げた。——もしかして、マンガ家さんですか？」

その言葉に岸谷さんは虚を衝かれたように目を見開き、門跡も驚きの表情を見せた。

って、私も驚いているけど。

「あなたが、すぐに自分の職業を伝えなかったのは、胸を張って言える環境にいなかったことを思わせます。あなたは、お父様に職業を反対されていたのではないですか？」

ホームズさんの問いに、岸谷さんの手が小刻みに震えている。

図星だったのだろう、顔は真っ青だった。

分かる、分かるよ、岸谷さん。

こうやって当てられるのは、怖いものなんだ。

訪れた沈黙のあと、岸谷さんは、コクリと頷いた。

「そう……です。もう、ずっと『マンガなんてくだらない』と反対され続けてきました。ですが私は夢を諦められずに家を飛び出して、東京に出まして。その甲斐あって、なんとかデビューできたんです。自分には信念がありました。『マンガなら、自分の伝えたいことを老若男女問わずに肩肘張ることなく伝えられる。格式なんか高くなくていい、誰でも気軽に楽しんでもらって、その後に何か心に残してもらいたい』と、そう思っていたんです。だけど……ちっとも人気が出ず、売れることもなくて、ずっと生活苦でした。そんな有様だから、家にも帰れずにいて」

自嘲気味な笑みを浮かべて、俯く岸谷さん。

「……ですが、岸谷さんはその後、『売れるマンガ』を描いたんですよね？」

そう続けたホームズさんに、岸谷さんはまた驚いたように顔を上げた。

「そ、そうです。このままでは生活していけないと、編集者にいわれるままに『今、とりあえず売れる』と言われているジャンルのマンガを描き始めました。そうしたら、それまででは考えられないほど、売れ出しましてね。生活も豊かになって来たんです」

「お父様が、この茶碗を送ってきたのは、そんな頃だったのではないでしょうか？」

その言葉に、また体をビクつかせる岸谷さん。

その通りだったようだ。

「は、はい。親父は京焼きが好きで、特に野々村仁清のものを大切にしてました。私はそれを受け取った時に、ようやく認めてくれたと思ったんです。祝ってくれたんだって。

本当はすぐにでも家に帰りたかったんですが、仕事が忙しくて帰れずにいたら、親父は病気で逝ってしまって。……今回は葬式のためにようやく帰省できたんです。

そして親父からの手紙を見た時に、この茶碗は祝いとかではなくて、何か伝えたいことがあったんじゃないかと思ったんです。この桜が描かれた茶碗に、どんな気持ちを込めていたんだろうと。親父は何を伝えたかったんだろうと」

岸谷さんはテーブルの上の茶碗に目を向けながら、自問自答するように漏らした。

ホームズさんはそっと茶碗を手に取り、ひっくり返して底を見せた。

「岸谷さん、ここに『仁清』という印が捺《お》されているのを見ましたか？」

「え、ええ、本物には印が捺されているんですよね？」

「そうとは限りません。仁清の作品と謳うのに、印を捺している偽物は横行していますからね。お伝えしたいのは、野々村仁清の『印』についてです」

しっかりと告げるホームズさん。

岸谷さんはよく分からないという様子を見せていた。

「こうして自分の作品に『仁清』と印をつけたのは、野々村仁清が先駆けと言われていま す。それまでただの陶工が作った茶碗を、仁清は自分の作品だと、つまりは『ブランド』を主張したんです。それは、自分の作品は他に類を見ない、自分だけが生み出せる、誇りの証だったわけです」

岸谷さんは何も言わずに目を見開いていた。

「岸谷さん。お父さんは、あなたに誰かの真似をした作品でなく、自分の想いを込めた作品を生み出してほしかったのではないでしょうか？　野々村仁清のように、『これは、自分のブランド』とプライドを持って、自分だけの作品を描いてほしかったのではないでしょうか？　ですが反対してきた手前、それを口に出すことができず、この茶碗に自分の気持ちを託したのではないでしょうか？」

茶碗を手にそう告げたホームズさんに、岸谷さんは体を小刻みに震わせた。

門跡も「うんうん」と頷いて、目を細めた。

「そうなんでしょうなぁ。マンガ家というのは過酷な仕事。親としては簡単に認めて甘い気持ちで取り組んでほしくなかったんでしょうな。帰る場所がないくらいの勢いで取り組んでほしかったんでしょう。きっと、あなたの作品をお父さんはずっと読んできたんでしょう。そして、流行だけに走ってしまったことを、とても残念に思っていたんでしょう」

優しく語る門跡に、岸谷さんは「うわあああ」と声を上げて、泣き崩れた。

岸谷さんの、それまでの苦しかっただろう思いが伝わってきて、なんだか私まで泣きそうになってしまった。

志を持ってマンガ家になろうと決めて、親の反対を押し切って家を飛び出したのに、ちっとも芽が出ることがなくて。このままでは、ずっと親に認められないと焦ってしまって。

志とは違うものを描いてしまっていたんだ。それでも、成功したならば親は喜んでくれると思ったのだろう。

――だけど、違ったんだ。お父さんは志を置いてきた息子を、悲しく思っていたんだ。

そのことを知った今、岸谷さんの心中は、とても言い表せないものに違いない。

岸谷さんは袖口で涙を拭い、ゆっくりと顔を上げた。

「実はずっと悩んできたんです。『描きたいもの』と『売れるもの』が一致しなくて。私は生活苦から志を忘れてしまっていました。ですが、親父の遺志《いし》に従い、もう、世間に媚《こび》を売るようなことはやめます。売れなくたっていい、自分の伝えたいことを描いていきます」

膝の上で、ギュッと拳を握りしめた岸谷さん。

夢と現実と理想と。私はまだ高校生でよく分からないけど、いろんなものの両立って、難しいことなんだろうな。

苦いような気持ちでいると、

「……岸谷さん、もうひとつ、この茶碗にはメッセージが残されている気がするんです。この茶碗の絵を見てください」

ホームズさんは、ひっくり返っていた茶碗をクルリと元に戻した。

岸谷さんは戸惑いつつ、「桜……ですよね？」と漏らした。

「そう、桜です。僕が思うに、桜は万人受けするものだと思うんです。つまりこれは、『万人受けするものを描いているけど、紛れもなく野々村仁清のブランド品』なわけです」

その言葉に、ハッとした様子を見せる岸谷さん。

「たとえ、『これが売れる』ってものを描いても、いいと思うんです。そもそも自分の好きなようにだけ描いていくのは、もうそれはプロとは言えないと思うんです。大事なのは、そこにあなたのブランド、そう、魂を込めることなのではないでしょうか？　それは人真似とは違うと思うんです」

慈しむように茶碗を持ちながら、穏やかに告げるホームズさんに、岸谷さんは俯いた。

しばしの沈黙のあと、ゆっくりと顔を上げて、また一筋の涙を流した。

「……家頭さん、もしかしたら私は、ずっと、その言葉を探していたのかもしれません。本当にありがとうございます」

畳に額がつくほどに頭を下げた彼に、「いえいえ、僕は何も」とホームズさんは、慌てたように首を振った。

「……さすが、誠司さんの孫やなぁ」と感心してため息をつく、門跡。

私は、この場に居合わせながら、もしかしたら、このことをキッカケに、ものすごいマンガ家が世に誕生したのかもしれない。

——そんなことを思い、鳥肌が立つのを感じていた。

4

「——もう、今回もホームズさん、本当にすごかったです！」

寺を出るなり、興奮気味に声を上げる私に、ホームズさんは苦笑した。

「大袈裟ですよ、葵さん」

「いえ、大袈裟じゃないですよ。まず、ペンダコを見てすぐにマンガ家と分かったところ。あそこで最初にビックリしました」

「ああ、あれは……本当は違うんですよ」

「えっ？」

「髪や額にスクリーントーンのカスがついていたんです。それで、マンガ家だって分かったんですよ。ただ、本人にそれを伝えにくくて。手を見たらペンダコがついていたので、それをキッカケにしました」とホームズさんは肩をすくめた。

な、なるほど、スクリーントーンのカス。

それはマンガ家と特定しやすそう。

その観察眼は、やっぱりすごいんだけど。私はまったく気が付かなかったし。

「でも、お父さんに反対されていることとか、今は売れていることとか、どうして分かったんですか？」

「それは、あの時も言ったように自分の職業を伝えたくなさそうでしたからね。そういう方は親に反対されていることが多いんです。彼の言葉のイントネーションから関東での生活が長いことを感じました。一時的に帰省している状態にもかかわらず、スクリーントーンがついているということは、この状況でも原稿を描いていたことを意味します。ってことは、売れっ子なんだと思いまして」

「な、なるほど」

さすがは、寺町三条のホームズ。

「それに、野々村仁清の印のくだりは、この世界にいる人間なら誰もが知ることですし、すぐにピンと来たと思いますよ」

なんでもないことのように言うホームズさん。

「でも、その後のこともすごいと思いました。『桜は万人受けするから』ってところ。岸谷さんのお父さんの心をあそこまで深く読み取るなんて」

「ですが、あれは確証のないことですからね」

「でも、説得力がありましたよ」

「そうですね、もしかしたら本当に、彼のお父さんがあのように伝えたかったのかもしれないのですが、僕の勝手な考えも入ってしまったかもしれません」

「勝手な考え、ですか？」

「はい。あの時も言いましたが、自分勝手に好きなものを作っているようでは、趣味の域でプロの仕事ではありません。世間に求められるものを作りつつ、いかに自分を最大限に表現していくかということも、プロの仕事だと思うんです。

あのベートーベンやショパンも、スポンサーである貴族たちが喜ぶ曲を作ろうと、必死だったように、いつの時代も、プロのクリエイターは人に求められるものを作っていかなければならない宿命のようなものを、背負っていると思うんです。なぜなら、芸術は人の目に触れてこそですから」

そう言ってホームズさんは、境内にそびえたつ五重塔に目を向けた。

それは凛々しく風雅で、芸術を思わせた。

桜の花とともに、まるで絵のようだ。

この塔も、高名な方の目に留まり、喜んでもらうことを意識して作られたに違いない。

春の風が、私たちの間を優しく吹き抜けて行った。

「……いいですね、桜の向こうに見える五重塔。こんなに美しいものを見ることができる僕は、幸せだと思います」真顔でそんなことを言うホームズさん。

もう慣れたとはいえ、若いイケメンの口から出たとは思えない、渋い言葉に思わず笑ってしまいそうになる。

でも、そうだ。たしかに美しい。

「そういえばこんな歌がありましたよね。『願《ねが》わくは桜《さくら》の下《した》にて　春死《はるし》なむ　そのきさらぎの　望月の頃』という歌。ホームズさんっぽいですよね。美しい桜と月の下で、なんて言いそうです」クスリと笑う私に、ホームズさんがそっと視線を合わせた。

「違いますよ、葵さん。その歌は、『桜の下』ではなく、『花の下』です」

「ふへっ？」思わず変な声が出た。

「『願わくは花の下にて　春死なむ　そのきさらぎの　望月の頃』……西行法師《さいぎょうほうし》の歌ですね。釈迦《しゃか》に強い憧れを抱いていた彼は如月の望月、つまり二月十五日の釈迦の命日、同じ日に逝《ゆ》きたいと思っていたそうです。ですが、残念なことに彼が亡くなったのは二月十六日。ちょっと惜しかったんですよ」

なんて言うホームズさんに、言葉が詰まってしまう。

……って、思い切り間違ってた。

「な、なんだ、桜と月の話じゃなく、お釈迦様に焦がれていたという歌なんですね」

恥ずかしい。

博学の人の前で、中途半端な知識を披露するのはやめよう。

「ですが、歌の世界では、花と言えば桜を指していたので、間違いでもないと思います。如月も旧暦のことで、今でいう春を指していますし」

「は、はぁ」

「……それに、葵さんバージョンの歌もいいものですね。それは夢のようです。

『願わくは桜の下にて　春死なむ　その卯月の　望月の頃』……現代風に言うとこんな感じでしょうか？　美しいものをたくさんこの目に焼き付けたあと、満月の月明かり満開の桜の下、この命尽きることができたら幸せに違いないです」

穏やかな笑みを浮かべるホームズさんに、頬が熱くなってしまう。

私が決まり悪く感じているのを察して、すかさずそう言ってくれる。

優しいようで、なんていうか、その余裕ぶりが、どこかイジワルなようにも感じたり。

「……ホームズさんって、ちょっとイジワルですよね」

口を尖らせてそう言った私に、彼は少し意外そうに目を開いた。

「イジワル、ですか？」

改めて問われて、何も言えなくなってしまう。

だって、どこがイジワルかと聞かれたら、答えにくい。

こうしてとても優しいわけだし。

すると、ホームズさんはクスリと笑った。

「かんにん、葵さん」

「えっ？」

「……京男《きょうおとこ》はいけずやから」

はじめて聞くホームズさんの京都弁。

人差し指を立てて、ニッとイタズラな笑みを浮かべた彼を前に、バクンと鼓動が跳ねた。

「それじゃあ、行きましょうか」

いつもの笑みを浮かべ、歩き出すホームズさんの後ろ姿を眺めながら、

「京男……いいかも」

と、つい漏らしてしまったのは、ここだけの話。

第二章　『葵《あおい》の頃に』

1

——四月中旬。

今年の『斎王代《さいおうだい》』が発表され、京都の町は、にわかに活気づいていた。

「まぁまぁ、今年の斎王代のニュース観た？　あの、お嬢様女子大の学生さんで家は老舗《しにせ》呉服屋《ごふくや》さんやて！　今年はなかなか綺麗な人やったなぁ」

京都寺町三条の骨董品店『蔵』を訪れた美恵子さんは、嬉々《きき》として今年の『斎王代』についで語っていた。

そう、彼女はバイトが決まった時にいた初老のご婦人だ。

彼女は斜向かいの婦人服店の経営者で、たまに油を売りにここに来ているらしい。

オーナーとは古い友人だとか。その割に、骨董品に関する知識は、まったくないそうだ。

そんな美恵子さんは、ひとしきり興奮を伝えたあと、ホームズさんの淹《い》れたコーヒーを

美味しそうに口に運び、

「せや、葵ちゃん。あんた、なんで自分の名前を言っただけで住んでるところを清貴ちゃんに当てられたか分かったかいな」急に思い出したように振り返って私を見た。

「――あ……はい。分かりました」

頬を赤らめてポツリと零した私に、クスクスと笑う美恵子さんとホームズさん。

そう、ここにバイトが決まった日。

私の名前を聞いて、『お住まいは左京区の、下鴨神社が割と近いところ？』と言い当てたホームズさんに、『ええ、そうです、どうして分かるんですか？』なんて私は驚いて目を剥いてしまった。

あの時は、『名前だけを聞いて、住んでいるところを特定できるなんてすごい！』と仰天したものの、その後、私はすぐにその理由を知ることとなる。

これまで、通学にはバスを利用していた私。『蔵』でのバイトが決まってから、自転車に乗るようになった。

そうすると今まで見えてなかったものが、見えてくるようになる。

『葵小学校』『クリーニング店　葵』『葵マンション』『葵書店』『喫茶　葵』『ビルディング葵』（などなど、他にもいっぱい）

……なんていうか。下鴨神社付近は、『葵』って名前で溢れていた。

大阪人なら、お前『葵』大好きやな！　って突っ込みたいほどに。

それは京都三大祭のひとつと言われている、『葵祭《あおいまつり》』から来ているらしい。

私だって『葵祭』という名前くらいは知っていた。

けど、この界隈《かいわい》がここまで『葵』づくしだとは思わず。

ホームズさんが私の名前を聞いて住んでいる地区を当てたのは、さして不思議でもなんでもないことが分かった。『葵＝下鴨付近』というのは、地元の人にはすぐにピンとくる、『京都あるある話』だったわけだ。

ちなみに美恵子さんが、興奮気味に伝えている『斎王代』とは、その葵祭の主役だ。

先日、今年の斎王代が発表されて、京都市内では、かなりの盛り上がりを見せている。

「……斎王代に選ばれるって、そんなにすごいことなんですね。京都テレビで、記者会見まで開いているのには驚きました」

独り言のように漏らした私に、美恵子さんが勢いよく振り返った。

「そらそや、斎王代いうたら京都の女性にとって最高の名誉やで！」

「さ、最高の名誉、ですか？」

「せやねん。なんたって、知性に品性、家柄が重視される最高の『お嬢様』が選ばれるんやから。顔がええだけのミスコンちゃうんやで。せやから、顔立ちもいろいろやけど、みんな上品や。それに今年の斎王代は綺麗やわ。十二単が映えるでぇ。写真撮らな」

熱っぽく語る美恵子さんに、「はぁ」と相槌をうった。

いまいちピンときていない私に、ホームズさんが楽しげに口角を上げた。

「葵祭というのは平安時代から続く伝統のある祭りで、源氏物語にも登場するんですよ」

「えっ、源氏物語にも？ 私、読んだことあるんですけど、出てきました？」

読んだことがあると言ってもマンガだけど。なんて心の中で付け足す。

「光源氏の正妻と愛人が、祭りを観に行って牛車を停める場所をめぐって争う場面があるのはご存じですか？」

「あ、もしかして、葵上《あおいのうえ》と六条御息所《ろくじょうのみやすどころ》の衝突シーンですか？」

正妻（葵上）に打ちのめされて、愛人（六条御息所）は、すごすごと引き返したというシーンだ。いつの世も正妻は強い。って、話が違うけど。

「そうです。その祭りが『葵祭』なんです。平安時代では、『祭り』と言えば『葵祭』と言われていたほどだったそうですよ」

「へええ、ちなみに、その『斎王代』っていうのは、なんですか？」

かなりおバカなことを聞いているんだろうな、と思いつつ尋ねると、

「とにかく、主役やねん。パレードでな、十二単を着て神輿《みこし》で運ばれるんやで」

美恵子さんが胸を張ってそう答えた。

……何年も京都に住んでいても、よく分からずに盛り上がっている人がいることを肌で

感じ取り、少し安心した。

「『斎王』というのは、皇室血族の巫女のことです。平安時代、選ばれた未婚の皇女《こうじょ》が、賀茂《かも》神社や伊勢神宮《いせじんぐう》に入り巫女として仕《つか》えたんですが、そのような女性を『斎王《さいおう》』と呼びました。今は祭りのためだけに、その斎王の代わりを一般女性から選ぶことから『斎王《さいおう》代《だい》』と言っているんです」

「あ、なるほど、斎王の代わりで、『斎王代』なんですね」

「今は京都を代表する由緒正しきお嬢様で、『才色兼備』の代名詞のように言われているんです。やはり、それに選ばれるのは、大変な名誉とされているんですよ」

「そうやで、『斎王代』に選ばれたら、嫁の行く手に困らんって話もあるぐらいやで」

「そ、そうなんですか！　でもそれって、どうやって選ばれるんですか？」

「それは公にはされていないんですが、話に聞いたところ神社側から打診があるとかで」

「お茶とかお花を習ってはると、その先生から回ってくるって話も聞いたことあるなぁ」

「はぁ……」二人の言葉に、なんだか圧倒されてしまった。

やっぱり地元民にしか分からないことって、いっぱいあるんだなぁ。

私のような庶民には、祭りを観るくらいで、『斎王代』は縁のない話なんだろうけど。

そう思っていたのも束の間。

そんな庶民の私が、この『蔵』を通して、斎王代と関わることになろうとは、この時は、思いもしていなかったんだ――。

2

――それから、数日後。

その日は平日で、学校が終わったあと、『蔵』でいつものようにお手伝いをしていた。

「それでは、葵さん。そろそろ窓際のディスプレーを変えようと思うので、今のを下げてもらってもいいですか?」

箱を手に歩み寄るホームズさんに、「はい」と元気に頷いた。

ここでの役目は、基本的に掃除と店番くらいしかないので、仕事らしい仕事にちょっと嬉しくなる。

その掃除も、私が来る頃にはすでに綺麗になっているし、なんだか全然役に立っていない気がしてならないけど。ホームズさんも店長も、急にフラリと店を出たくなる性分らしく、この店にとって『店番をしてくれる人』というのは、私が思う以上にありがたい存在らしい。とはいえ、やっぱり、もう少し役に立ちたかったので、嬉しい限りだ。

窓際のディスプレーコーナーには、茶器が並んでいた。

そのひとつひとつから丁寧に埃を取り、紙で包んで、箱の中にしまっていく。

その茶器は、桜をモチーフにしたもの。

「……京の桜も、もう終わりですよね」

茶器の桜を眺めながら、シミジミと漏らす私に、帳簿をつけていたホームズさんが、

「そうですね」と静かに頷いた。

「次はここをどうされるんですか？」

「やはり、葵祭を意識したものにしようかと思いまして」

「あ、なるほど」

そんな話をしていると、初老の男性が勢いよく店に向かって歩いて来たかと思うと、

「おう、清貴」

少し乱暴とも思える感じで、扉を開けた。

うわ、なんだろうこの人。

口髭に和服、つば付きの帽子。がっちりレトロだけど、『粋』なお洒落さと清潔さを感じさせ、そしてどこか威圧感がある紳士だった。

「……オーナー」

ポカンとするホームズさんに、私も「えっ？」と目を開いた。

オーナー？　って、この人が蔵のオーナーで『国選鑑定人』の家頭誠司《やがしらせいじ》さん？

つまり、ホームズさんのお祖父さん？

「おう、元気そうで何よりや」

オーナーは豪快に笑ったあと、私をチラリと見た。

「なんや、清貴、彼女か。お楽しみやな」

その言葉に私がギョッとして、『違います』と言う前に、

「彼女は、店を手伝ってくれている真城葵さんですよ。女子高生のバイトを雇ったことを電話で報告したでしょう。忘れたんですか？」

ホームズさんが呆れたように息をついた。

「おう、そんなことを言うとったな。葵さん、あんな変わり者の孫ですが、よろしくお願いします」

握手の手を差し伸べてきたオーナーに、

「あ、こちらこそよろしくお願いします」ためらいながらその手を取った。

「いや、可愛らしい。そこのカフェで一緒にコーヒーでもどうですか？」

握手の手を引き寄せてそんなことを言うオーナーに、「はっ？」と目を見開いた瞬間、

「オーナー、バイトに来ている女子高生をナンパしないでください」

ホームズさんがピシャリと告げた。
ナ、ナンパ？　このお祖父さんが私を？
「人聞きの悪い。親睦を図ろうと思っただけや」

私が呆然としている前で、オーナーは少し面白くなさそうに口を尖らせた。

「それより、また厄介ごとを持って来たんでしょう?」

帳簿のノートをパタンと閉じて息をつくホームズさんに、

「……さすが、我が孫やな」とオーナーは少し誇らしげに腕を組んだ。

「……店の外で、まごまごしている母娘さんがいます。あなたが呼んだ客でしょう?」

その言葉にオーナーは勢いよく振り返って、

「来ましたな、どうぞ」

丁寧に紳士的に店の扉を開けた。

「……失礼します」

会釈して店に入って来たのは、上品そうな和装姿の中年女性と、ワンピース姿の女子大生と思われる綺麗な女性、そして私と同世代と思われる女の子の三人だ。

……あれ、この人は……。

同世代の女の子に見覚えがあり、私が目を凝らした時、

「もしかして……一組の真城さん?」と向こうから声を掛けてきた。

「そ、そう、二組の宮下《みやした》さん……だよね?」

そうだ、この人は同じ学校で、同学年の子。

クラスが違うから、どんな人かは分からないけど、合同教室で一緒になることがあるか

ら顔と名前は知っている。

——宮下香織《かおり》さんだ。

「真城さんは、どうしてここに？」

「こ、ここでバイトしていて」

「あ、そうなんや」

と、ぎこちない会話をする私たちに、

「なんや、宮下さんの末娘さんと、友達やったんか。奇遇やな」オーナーが笑った。

いや、友達というほどでは……。

そんな私の戸惑いを余所に、

「ささ、宮下さん、お座りください。清貴はお茶の用意を、葵さんは店の立て看板を入れて、札を『クローズ』にしといてな」

オーナーは客人をソファーに案内しつつ、私たちにそう指示を出した。

「は、はい」

……驚いた、店を閉めちゃうんだ。

一体、何が始まるんだろう？

少しドキドキするのを感じながら、私は外扉の札を『クローズ』と変えて、看板を店の中に入れた。

3

「──西陣《にしじん》の宮下呉服店といえば、歌舞伎や日本舞踊の衣装から、大御所演歌歌手の着物まで扱っておられる、三百年の歴史を持つ老舗《しにせ》ですからな」

ソファーに腰を下ろしながらそう切り出したオーナー。

看板を入れ終えた私は、扉をしっかりと閉じながら、ハッと顔を上げた。

すごい、三百年ですか！

私が地元で目にした老舗はせいぜい百年ちょっと。

さすが、京都。老舗の歴史もハンパない。

「古いだけですわ。せやから、六本木に店を出しても思うようにいかへんかったのかもしれへん」そう言って苦笑する宮下さんのお母さん。

六本木にも支店を出したことがあるらしい。それにしても、大御所演歌歌手の着物まで誂《あつら》えているなんて、宮下さんの家って、すごいんだな。

なんて、素知らぬ顔で掃除をはじめつつ、様子を窺っていると、

「宮下呉服店さんでしたか。このたびは、おめでとうございます」

ホームズさんがニコリと微笑んで頭を下げた。

何が、『おめでとう』なんだろう？

「おおきに。娘を斎王代にというのは、昔からの夢で」

宮下さんのお母さんが頬に手を当てながら、上品に笑った。

さ、斎王代？　と私はギョッとして、振り返った。

恐縮して肩をすぼめている宮下さんのお姉さんの姿が目に入る。

そういえば、今年の斎王代は老舗呉服店の娘さんって、美恵子さんが言っていた。

宮下さんのお姉さんが、今年の斎王代なんだ。

美恵子さんが『綺麗やった』と息巻いていたのも分かる、上品な美人さんだ。

宮下さんも目鼻立ちの整った美人さんではあるけれど、お姉さんの方がずば抜けて目を惹く容姿をしていた。

「……それで、今日はその斎王代に関することで、何か？」

胸の前で手を組んで尋ねたホームズさんに、宮下母娘三人は少し驚いたように体をビクつかせた。

「清貴。斎王代の発表があったあとで、佐織《さおり》さんのところに怪文書が届き始めたんやて」

低い声で告げたオーナーに、ホームズさんは眉をひそめた。

身を縮ませる宮下さんのお姉さんの――佐織さん。ちなみに宮下さんの名前は『香織』だから、呉服店だけに『織』という字にこだわったのかもしれない。

「怪文書、ですか？」

佐織さんは「はい」と小さく頷いて、バッグの中から茶封筒を取り出した。

「これが、そうなんです」

「……あらためさせてもらっても？」

「はい、お願いします」

ペコリと頭を下げた佐織さんに、ホームズさんはいつものように白い手袋をして、茶封筒を手に取った。

ジッと茶封筒を見たあと、中から白い紙を取り出した。


【お前は斎王代に相応しくない。今すぐ辞退表明しろ】


「……A4コピー用紙に、新聞の文字を切り抜いて貼り付けた、まさに絵に描いたような『怪文書』ですね」

少し感心したように漏らすホームズさん。

宮下さん母娘には気付かれていないだろうけど、どこか面白がっていることが伝わってきて、つい顔を引きつらせてしまう私。

「これを誰かに相談はされたんですか？」と続けたホームズさんに、宮下さんのお母さんは小さく首を振った。

「気持ち悪いですし、本当なら警察に相談した方がいいのかもしれませんけど、脅迫めいたことは書いてませんし、何より大事な祭りの前に大ごとにはしたくなくて。それで主人に相談したら、誠司さんとこのお孫さんに相談したらどうやと」

そうか、なるほど。オーナーと宮下さんのお父さんが、知り合いなわけだ。同じ京都で、昔から商売をやっている横のつながりみたいなものがあるのかもしれない。

「あ、あの、父が、清貴さんは周りの人から『ホームズ』と呼ばれている鋭い人だって」

急に熱っぽく告げた佐織さん。

彼女の頬が紅潮していて、少し驚いてしまった。

ホームズさんは、ちょっとイジワルで少し変人だけど、雰囲気は上品だし、外見は抜群にいい。そのイケメンぶりに、今年の斎王代までもがクラリときているのかもしれない。

「いえいえ、『ホームズ』というのは、苗字が家頭だから周りにそう呼ばれているだけなんですよ」

そんな彼女を前に、いつもの言葉を返すホームズさん。

本当は違うくせに。

「この怪文書はどのように届きましたか？」

「それが、私のバッグの中に入っていたんです」と、佐織さんは肩をすくめた。

「バッグに？」

「ええ、大学から帰宅して、バッグの中身を取り出していると、身に覚えのない封筒が入っていまして」

「……大学以外に立ち寄ったところは？」

「お花のお稽古に」

「ちなみに、怪文書はこれ一枚ですか？」

「あ、いえ」

佐織さんが首を振ったその時、お母さんが身を乗り出した。

「最初、怪文書を見た時は気持ち悪ぅて、どないしよう思ってたんです。でも、そのあと、特に何もないし、ただのやっかみやねって話していたら、また届いたんですわ」

「これがそうです」

今度は、四つ折りにしたままの白い紙を取り出した。

ホームズさんはそれを受け取って、丁寧に開いた。


【早く辞退しろ。目障りだ】

「これも新聞の切り抜きですね。この怪文書は茶封筒には入っていなかったんですか？」

「ええ、このままで。これもバッグに入っていたんです」

「なるほど。それで、佐織さんには、この怪文書を作った人間の目星がついているのではないですか？」

しっかりと目を合わせて尋ねたホームズさんに、佐織さんは体をビクつかせた。

「ど、どうして、そう思うんですか？」

「こんな怪文書を送られた割には、随分と落ち着いていらっしゃるからです。何者かまったく分からないのではなく、『もしかしてあの人じゃないか』という何かが、あなたの中にあったりはしませんか？」

多分、図星だったのだろう。

佐織さんがゴクリと息を呑む音が、こちらまで聞こえてくるようだ。

「……はい。実は『もしかしたら』と思っている人はいるんです」

佐織さんがそこまで言った時に、

「まぁ、そうやったの？　なんで話さへんかったの？」

と、お母さんが驚きの声を上げた。すると、ここで初めて、同級生の宮下香織さんが険しい表情で、口を開いた。

「だって、お母さんは確証もないのになんでも大袈裟にするからやん。前かてお姉ちゃんがちょっと仲間外れにあった時、相手の家に押しかけてわめいたりして恥ずかしい。あのあと、お姉ちゃんは、さらにいじめられたんやで？　お母さん、分かってへんやろ」

「……香織」

驚きの表情を見せる母親に、佐織さんは眉を下げた。

「香織、ええんよ。ホームズさん、実は私が『もしかしたら』と思っているのは、その母が押しかけた家の人たちではないかと」

沈痛の面持ちで告げた佐織さんに、ホームズさんは何も言わずに次の言葉を待った。

「……高校時代、私には仲良くしている子が二人いました。小料理屋の娘さんと、旅館の娘さん。どちらも名の知れた老舗のお嬢さんでして、同じお花の教室にも通っていまして、私たちは仲良し三人グループだったんです。それがちょっとしたことから、私一人が仲間外れにされてしまって、とても悩みまして……。

それを母に相談してみたところ、母は烈火《れっか》のごとく怒り狂ってしまいまして、二人の家に押しかけて、『うちの佐織を仲間外れにするなんて、許さへん。あんたん家とはもう二度と付き合わないし、客も紹介しない』と怒鳴り散らしまして」

……うわ、モンスターペアレントだ。

話を聞きながら、眉をひそめてしまった。

「それがキッカケで、その二人との関係は絶望的になりました。でも、私は高校も大学もエスカレーター式ですし、お花の教室も一緒なので、ずっと付き合っていかなくてはならなくて」

……それはお気の毒。私なら居たたまれない。

「斎王代に選ばれた時、お花の先生に先に伝えたんです。そうしたらお花の先生は歓喜してくれて、みんなの前で『皆さん、うちの教室から斎王代が選ばれました』って声を上げたんです。その時、その二人が何を勘違いしたのか、今から自分たちの名前が呼ばれるかもしれないと、興奮した様子を見せていたんです」

その言葉を聞いた時、美恵子さんが言っていたことが脳裏を過った。

『お茶とかお花を習ってはったりすると、その先生から回ってくるって話も聞いたことあるなぁ』

――そんな話があるから、その二人はお花の先生から、自分たちに話が来たのかもと一瞬思い込んだのかもしれない。

「そのあとすぐに『それは、宮下佐織さんです！』って先生が言わはった時の、二人の顔が忘れられません。それまで、特に話もしない冷戦状態だったのが、露骨に意地悪な態度をされるようになって……」

そう言って目を伏せた佐織さんに、ホームズさんは「なるほど」と頷いた。

「そのお二人に会うことはできますか？」

「会って、直接お聞きにならはるんですか？」

ギョッと目を開く彼女に、ホームズさんは小さく首を振った。

「いえ、佐織さんと面識があることは隠した状態で、お会いしたいのですが」

「それでしたら……今度の週末、うちの教室の華道展があります。そこに生徒がみんな、集まります」

「なるほど、それはいいですね。ぜひ、伺いたいと思います」

ホームズさんはそう言ってニッコリと笑った。

4

宮下さん母娘《おやこ》が帰ったあと、ホームズさんはソファーに座ったまま二通の怪文書を食い入るように眺めていた。

目は真剣だけど、口元には笑みが湛えられている。

「……何か、分かったんですか？」

「ええ、少し」

そのまま口を閉ざした彼。今は、これ以上話す気がないことが伝わってきた。

「ほな、清貴、頼むわ」

帽子をスッとかぶりながら言うオーナーに、ホームズさんは露骨に眉をひそめた。

「どこに行こうというのですか？」

「あー、まぁ、先斗町《ぽんとちょう》にな」

「まったく、久々に帰って来たと思えば、人に厄介ごとを押し付けて、すぐに遊びに行こうとする。そもそも、どうしてこの話を僕に持って来たんですか」

怪文書を手に呆れたように息をつくホームズさんに、オーナーはハハハッと笑った。

「それはそや、宮下のやつが大ごとにしたないし、噂が立つのも嫌やし、警察にも相談できんってオロオロしとったから、『そんなら、清貴に相談したらええ、うちの孫は寺町三条のホームズやぁ！』って、つい、な」

「まったく、『つい』じゃないでしょう。大体、この店はあなたの店だというのに、放置したまま、だけど閉めたくはないと勝手なことばかりで。僕や父にだって自分の仕事があるというのに、国選鑑定人の仕事が忙しい振りして、女性と海外旅行に行ったりと。挙句の果てに、バイトに来てくれている葵さんをナンパまでして」

説教が始まるなり、オーナーは耳を押さえて、「あーあー、聞こえへん」と声を上げた。

……って、子どもですか。

「お前の才能を伸ばしたったのは、わしなのに、その恩を忘れて、そんな説教をするんか」

「それとこれとは別の問題です」

「まぁ、とにかく、わしはそうやな。人に会うのも、若い女性と話すのも、自分の感性を磨く仕事のひとつや。ほな、花街《はなまち》に行ってくるわ」

逃げるように店を出て行ったオーナー。

「オーナーに確認しておきたいことがあったというのに。あとで電話しておかないとですね」

ホームズさんは独り言のようにそう言って、息をついた。

確認しておきたいことってなんだろう?

それはそうと……。

「……店長さんとホームズさんって、似た雰囲気ですけど、オーナーはまったく違うタイプの方なんですね」

ポツリと漏らした私に、ホームズさんは苦笑した。

「そうですね。僕も父も、祖父を尊敬はしているのですが、ある部分においては失笑してもいるので」

「……な、なるほど。そういえば、オーナーは最初『先斗町』に行くと言っていたのに、店を出る時には『花街』と変わっていましたけど、本当はどっちに行ったんですか?」

「先斗町は花街とも呼ばれているんですよ」

「あ、そうなんですか? 花街って祇園《ぎおん》のことかと思ってました」

「ええ、祇園もそうです。花街と呼ばれるのは、上七軒、祇園甲部、祇園東、嶋原、先斗町、宮川町の六つ。これらを総称して『京の六花街』と呼ばれているんです」

「そうだったんですね」

祇園に先斗町くらいしか分からないけど、京の花街、なんだか、雅《みやび》な感じだ。

「そうだ、葵さん、斎王代の華道展に同行してもらってもいいですか？　若い男一人では、どうにも悪目立ちしそうなので」

顔を上げてニコリと笑うホームズさんに、

「あ、はい。私も気になっていたので、ぜひ」と強く頷いた。

「って、これじゃあ、オーナーと形が違うだけで、葵さんをナンパしているみたいですね」

クスリと笑うホームズさんに、「ッ！」言葉が詰まって、頬が熱くなった。

「冗談ですよ。ヨコシマな気持ちはないですから、安心してください」

サラリとそう続ける彼に、力が抜ける。

「……やっぱり、いけずですね」

肩をすくめて言う私に、また楽しげに笑みを浮かべるホームズさん。

なんだか、掌の上で転がされているようで、少し腹立たしい。

……そんなホームズさんは、今回の怪文書事件で、どこまで感じ取ったんだろう？

きっと華道展に行って、二人の容疑者（？）に会ったなら、何かをつかめるに違いない。

そう思うと、急にドキドキしてきた。

いろんな意味で、華道展を心待ちにしてしまっている自分がいる。

斎王代が怪文書で心を痛めているというのに、これじゃあ、不謹慎だよね。

でも、彼女の憂いを晴らすためにも、この事件が早く解決されるといいな。

強く願い、ギュッと拳を握りしめた。

5

――そうして土曜日。

『蔵』の店番を店長に任せて、私とホームズさんは、ホテルで開催されているという華道展へと向かった。

会場は市役所向かい側の京都ホテルオークラ。そこの特設会場で開催されるらしい。

つまり『蔵』から徒歩で行ける距離だった。

「葵さん、学校で妹の香織さんと何か話しましたか?」

ホテルに向かって歩きながら尋ねるホームズさんに、「あ、はい」と頷いた。

「翌日の朝、校門のところで待ってくれていて、私を見るなり『昨日のことは誰にも話さないでもらえると』って、釘を刺されました」

「まぁ、斎王代に怪文書が届いたなんてことが、若い女の子の耳に入ったら、たちまち広まるでしょうしね。きっと、夜の間に葵さんがすでに誰かに伝えたのではと、ヒヤヒヤしていたのではないですか？」

「多分そうでしょうね。心配されなくても、誰にも話していないし、話すつもりもなかったんですけど」苦笑すると、ホームズさんはそっと目を細めた。

「今の学校では、心許せる友達はいませんか？」

「……『今の学校では』ってことではないです」

誰より心を許していた親友が、私の知らないところで彼氏と付き合っていたという事実を突き付けられてから、なんだか友達というものを信じられなくなってしまっていた。

学校に行って、他愛もない話をして、一緒にお弁当を食べて、バイバイと手を振って、帰る。

それだけしていれば、特に困ることもないから。

だから、自分の悩みや苦しみを話すこともなければ、誰かの秘密をコッソリ話すような友達も今の私にはいないんだ。

『葵と克実《かつみ》は本当にお似合いのカップルだと思う！　大丈夫、浮気しないように見張っているから、安心して京都に行きなって』

かつての親友・早苗《さなえ》の言葉が頭の中に響き、ズキンと胸が痛んだ。

早苗……どうしてなの？　どうして、克実と付き合ったりしたの？

私がどんな思いをするかなんて、分かっていたはずだよね？　近くにいなくなった私なんて、どうでもいいと思ったの？　それとも、私たちを応援している振りをしながら、本当はずっと克実のことが好きだったの？　もしかして、苦しい思いをしていたの？

だとしたら、私がいなくなることを喜んだの？

息が、苦しくなる。

——いつもこうだ。

答えが出ない中、自問自答《じもんじとう》が延々と続く。

苦しくて、やりきれなくて、どうしてもハッキリさせたいと思ったんだ。

「葵さん、今日はいい天気ですね」

空を仰ぎながらにこやかに言うホームズさんの声に、我に返って顔を上げた。

雲ひとつない真っ青な空が、キラキラと輝いて見えた。

「……本当だ、いいお天気ですね」

そういえば、『蔵』でバイトするようになってから、苦しい思考のループに陥る時間が少なくなったように思える。もし、苦しくなってしまっても、こうしてホームズさんがなんてことのない言葉で、引き上げてくれている気がする。

そっとホームズさんの方を見ると、私を見てニコリと微笑んだ。

つい、頬が熱くなる。

ホームズさんは鋭すぎて怖い時もあるけど、こうして救われることも多い。

あの時、家の物をコッソリ売ろうとした私は、ダメな子だけど、『蔵』に入って、ホームズさんと出会えたことは、本当に良かったと心から思えた。

――そのまま私たちは、京都ホテルオークラの特設会場に入った。

特設会場入口の『花村流華道展《かどうてん》』という文字看板が目に入る。

きっと名のある書道家に書いてもらったのだろう。

会場中央の大きな生け花が来客を迎え、四方の壁にズラリと生徒の作品が並べられていた。

「これは、素晴らしいですね」

手を広げるよりも大きな生け花を眺めて、嬉しそうに目を細めるホームズさん。

どうやら、花も好きらしい。

「……これは先生の作品みたいですね」

「ええ、京の春の華やかさを表現していますね。こんなに大きな作品なのに、とても繊細かつ、大胆。この華道展への意気込みが伝わってきます」

その言葉に、私も改めて花を眺めた。

『わっ、大きい』としか思わなかったけれど、言われてみれば、こんなに大きな作品なのに、とても繊細だ。元染付の絵のように葉の先まで、神経が行き届いている感じがする。

なるほど、生け花も奥が深い。

「さすが、家元です。会場も盛況ですね」

「本当ですね」

来場者の多くは、和服姿のご婦人。ご年配の方が多い。だけど、私たちのような学生の姿や、宮下佐織さんを含む生徒の姿もチラホラ見受けられた。

「えっと、たしかここでは他人の振《ふ》りなんですよね？」

「そうですね。僕たちはとりあえず、作品を拝見することにしましょう」

「はい」

強く頷いて、真っ白いクロスの上に展示された作品たちに目を向けた。

生徒の作品は、二点ずつ展示されていた。

なんとなくみんなの作品を眺めていると、

「まぁ、今年の斎王代はんの作品やて。綺麗やわ」なんて声が耳に届いた。

恐縮して会釈している佐織さんと、お客さんの姿が目に映る。

佐織さんは私たちの姿にも気が付いて、一瞬動きを止めたものの、他の人にもしているように優雅に会釈をした。

私たちも会釈をして、佐織さんの作品に目を向ける。

ひとつは背の高い花を使った、大きくも躍動感《やくどうかん》のある作品。

もうひとつは、小さいけれど横に伸びた枝と、小さな花々が絶妙なバランスを見せている作品。

繊細で儚《はかな》いのに、芯の強さみたいなものも感じさせる作品だ。

「…………」

なんだろう、この二つの作品は……。

私が思わず腕を組んだその時、

「この二つの作品は、随分違う顔を見せていますね」

同じことを思ったらしいホームズさんが、独り言のように漏らした。

その言葉が聞こえた佐織さんが「あ、それは」と口を開きかけたその時、

「そやねん、その二つの作品、出来がまるで違いますやろ」

背後で迫力のある声がした。

驚いて振り返ると、そこには和服姿の中年女性が上品な笑みを湛えていた。

「これは、花村先生」

頭を下げたホームズさんに、私は驚いて目を開いた。

この人が華道の先生。

って、ホームズさん、この人のことを知ってるの？

「まぁまぁ、誠司さんとこの清貴君？　大きなって」

「お久しぶりです」

「たしか、府大に行かはったとか」

「今は念願の京大です」

「なんや、院から入ったんか。えらいこと」

「いいんですよ、コスいと言っていただいて」

「そんな、よう言わんわ」

笑い合う二人の姿に、なんだか圧倒されてしまった。

どうやら、オーナーを通してこの華道の先生とも知り合いだったらしい。

なんていうか、さすが京都。横のつながり、ハンパない。

「こちら、斎王代の作品なんですね」

二つの作品に目を向け、話題を変えたホームズさんに、先生は強く頷いた。

「この大きな作品は教室で作ったもので、小さい方は家に持ち帰って集中して作ったものなんです。宮下さんは、家で籠《こも》って作る方が才能を発揮できるようで、この小さい方が出来がええですやろ」

先生の言葉に、思わず頷いてしまった。

そう、この二つの作品、小さい方がずっといい。

先生の作品にも感じた、細部にわたるまでの緊張感というのが伝わってくる。

教室では仲違いしている友達もいるわけだし、心が乱れるのかもしれない。

自分に怪文書を送りつけたかもしれない人の側で、優雅に花を生ける気持ちにはなれないよね。

家で一人籠っている時の方が、良いものを作れるのだろう。

佐織さんは、針の筵《むしろ》にいるに違いない。

「若い方の作品はいいですね、イキイキとしていて。斎王代の他に若い方の作品はあるのですか？」

シレッとして尋ねるホームズさんに、先生はクスリと笑った。

「若い方の作品て。清貴君は相変わらず若年寄《わかどしより》やな」

「祖父があんな感じですから、僕の方がついこうなってしまいますね」

「それは、分かるわ。誠司さんはやんちゃやからな。そうそう、うちの教室には宮下さんと同じ大学の生徒があと二人いるんですわ」

先生はそう言って、スッと歩いて、その先の作品の前で足を止めた。

その前には、着物を着た女子大生が二人。

「うそ、イケメン」「わっ、こっちに来たよ」

佐織さんに怪文書を送りつけたかもしれない二人が、ホームズさんを見て色めき立っていた。

「清貴君、こちら先斗町にある割烹料亭の娘・川瀬圭子さんと祇園《ぎおん》の老舗旅館の娘・三上優子さん」

圭子さんに、優子さん。怪文書を送りつけたとは思えない、ごく普通の雰囲気だった。

本当に普通すぎて、着物を着ていなければ、由緒正しき老舗の娘さんとも思えないかもしれない。

「二人とも、こちらは鑑定士として名の知れた家頭誠司さんのお孫さんの清貴君。京大生で、寺町三条に昔からある骨董品店『蔵』の手伝いをしているんやで」

先生が紹介するなり、二人は「はじめまして」と頭を下げた。

「はじめまして」

上品な物腰で頭を下げるホームズさんに、二人は頬を赤らめていた。

その時、はじめて先生は、私の存在に気が付いたように、

「隣にいらっしゃるのは、もしかして清貴君の？」微笑むような目を見せた。

「いえ、彼女はうちにバイトに来てくれている女子高生さんなんです。今日は勉強も兼ねてここに」

「まぁ、そやったんか。女子高生やて、可愛らしいな、ゆっくり見て行って」

優しい笑みを向けてくれる先生に、慌てて私も頭を下げた。

「は、はい、ありがとうございます」

「圭子さんと優子さんの作品、拝見させていただきますね」

ホームズさんはすぐに作品に目を向けた。

花に枝にと天に伸びている作品。日頃、『蔵』で骨董品を観てきているせいだろうか？

二人の作品からは、イキイキとみなぎるような瑞々しさを感じた。これが『若いパワー』というものなのだろうか？　繊細さも儚さも緻密さもなくて、作品自体は拙いのかもしれないけど、惹《ひ》きつけられるものを感じた。

「お二人の元気の良さが伝わってくるような作品ですね」

上品に微笑むホームズさんに、二人は打ち抜かれたように、また頬を赤らめた。

「そうですやろ。今のこの子たちにしか作れない作品ですわ」

クスクスと笑う先生。

「先生も、この教室から斎王代が選ばれて誇らしいでしょう」

いきなり核心に触れたホームズさんに、私は隣でギョッとしてしまった。

い、いきなり聞くか？

咄嗟に彼女たちの顔を窺うと、二人は少し面白くないような表情を見せていた。

するとホームズさんは、「あ」と声を上げて、携帯電話《スマートフォン》を手に取った。

「すみません。電話が鳴りましたので失礼します。葵さん、ここにいてください」

急に携帯電話《スマートフォン》を手に足早に会場を出て行ったホームズさんに、呆然としてしまった。

って、なんなのいきなり。

ホームズさんがいなくなったことで、先生も会釈をしてその場を離れ、どうしようかと、一人その場に佇んでいると、私の携帯電話《スマートフォン》がメールを受信した。

『葵さん、女性同士の方が聞き出せることもあると思うので、圭子さん、優子さんから、いろいろ聞き出してみてください。できれば〝同じ教室から斎王代が選ばれるって悔しくないですか？〟といったことを聞いてもらえると助かります』

ホームズさんからのメール。

「………」

って、オイ。

最初から私を使うつもりだったな。

第一、そんなこと聞けるわけがないでしょうよ！

画面を睨んでいると、

「ねぇ、女子高生ちゃん」

急に話しかけられて、「は、はい？」と驚きながら振り返った。

「今のイケメンさんと、本当は付き合っていたりするの？」

笑顔を見せながらも、どこか真顔で尋ねる圭子さんに、気圧された。

「い、いいえ、ただのバイトです、本当に」

その言葉に、二人は嬉しそうに顔を見合わせた。

「良かったぁ、あんなイケメン、なかなか出会えへんから」

「なぁ、京大生やて！」

露骨にそんなことを言う二人に、絶句してしまった。

「って、あかん、あの子に聞かれるで」

「せやな、めっちゃ、あのイケメンのことを見てたし」

すぐに声を潜める二人に、

「……あの子って、斎王代さんですか？」小声で尋ねた。

「せやねん。見て、あの子」

その言葉に、私はチラリと佐織さんの方に目を向けた。

「めっちゃ美人やろ？　昔から男にモテモテやねん」

「いつも美味しいところを持っていくんや。最後は斎王代やて」

「ないわ、マジでないわ」

ほぼ、初対面の私を前にあけすけなことを言う二人に、再び絶句してしまう。

「や、やっぱり同じ教室から斎王代が選ばれるって、悔しいですよね？」

こんなこと聞けるわけがないと思ったけど、思いのほか簡単に聞くことができた。

「そんなん、今さらやで」

「今さら、ですか？」

「そう、悔しい思いは、昔からやで」

「男はみんな、佐織がええ言うしな。私らの好きな人かて、佐織がええって」

「もう、引き立て役はいややと距離を置いたら、佐織のおかんが怒鳴り込んで来たことがあったな」

「ほんま、ありえへんで。でも、あのお陰で絶縁や。引き立て役を抜けられて良かったわ」

「そやねん、男ウケする美人と一緒におるのはいややわ」

「その上、今や斎王代。まさに『高嶺《たかね》の花』やで」

「でも、佐織んとこも無理してるんちゃう？　昔ほど羽振り良くないのに斎王代なんて」

「そやろな、羽振りが良くないのはどこかて一緒やし。老舗呉服屋の名前だけで選ばれたようなもんやろ」

「あのおかんも見栄っぱりやからなぁ」

まるで私がいることを忘れたかのように、ズケズケ言う二人に呆然としてしまった。

高校時代、仲良しグループだった佐織さん、圭子さん、優子さん。

だけど、佐織さんだけがずば抜けて器量が良くて、視線は独り占めだった。

自分たちの好きな男まで、佐織さんがいいと言い出したことから、溜まりに溜まっていた嫉妬心が爆発して、佐織さんを仲間外れにしてしまったわけだ。

それを知った佐織さんのお母さんが、怒って二人の家に押しかけた。

そうして、完全に断絶してしまったというわけだ。

「それはそうと、女子高生ちゃんは、あの彼のことをどない思ってん？」

「やっぱ、イケメンやからクラクラする？」

急に思い出したように詰め寄ってくる二人に、

「そ、そうですね、イケメンですし」

……正直、たまにクラクラするけれど。

「彼は、なんていうか……結構な変人なんですよ」

私が真顔でそう言った瞬間、二人は顔を強張らせた。

あれ、そんなにドン引きさせちゃった？　と戸惑ったその時、

「それは失礼いたしました、葵さん」

背後から聞こえたホームズさんの声に、今度は私の顔が蒼白した。

6

「ご、ごめんなさい、ホームズさん」

会場を出て、ホテル一階ロビーに隣接しているカフェ・レストランで、改めて手を合わ

せた私に、ホームズさんはニコリと微笑んだ。

「いえいえ、そんな僕は気にしていませんので、お気になさらないでください」

「ほ、本当ですか？」

笑顔で怒ってる、なんてことはないよね？

「ええ、僕は身内に変人扱いされることが多いので、慣れているんですよ。もう、変人をミドルネームとして加えようかと思っているくらいです」

シレッと言ってコーヒーを口に運ぶホームズさんに、ギョッと目を開いた。

「め、めちゃめちゃ気にしてるじゃないですか！　あの、変人っていうのは悪い意味じゃなくて。やっぱりホームズさんは、凡人じゃないっていう意味で」

必死に言い訳をする私に、ホームズさんはプッと吹き出した。

「冗談ですよ、葵さん」

クックと楽しげに笑う彼を前に、頬が紅潮してくるのが分かった。

ま、また、してやられた。

「『いけずな京男子《きょうだんし》』ってやつですね」

口を尖らせながら、コーヒーを飲んだ。

「葵さん、『京男子』ではなく、『京男《きょうおとこ》』ですよ」

長い人差し指を立てて窘《たしな》めるように言いながらも、口元には笑みを湛《たた》えている。

「あ、そうでしたね。……でも、なんだかホームズさんって、『京男』というより『京男子』って言葉の方が合ってそうな気がします」

そう、雅で少しいけずな京都の男子、という感じで。

「……そんな言葉はないんですが、でも、『京男』というより、『京男子』の方が、少しライトな感じでいいですね」

ホームズさんは、少し嬉しそうに目を弧の字に細めた。

どうやら気に入ってくれたようだ。

「それで、圭子さんと優子さんから、何かお話は聞けましたか？」

「あ、はい、思った以上に」

「思った以上に？」

「もう、ビックリするくらいペラペラ話してくれまして」

あまりにあけすけな言葉すぎて、全部ホームズさんに聞かせることにためらいを感じてしまうほどだ。

なんたって、彼女たちはホームズさんをGETしたいと目論《もくろ》んでいるわけで、それを妨害することにもつながってしまう。とはいえ、これは大事な捜査。

私は彼女たちの言葉を余すことなく、ホームズさんにしっかりと伝えた。

「――なるほど。そんなにも佐織さんに対する嫉妬心を、あらわにしていたんですね。驚きました」

頷きながら腕を組むホームズさんに、私は思わず身を乗り出した。

「で、ですよね。普通、初対面の私にそんなこと言わないですよね？」

「そうですね。それはつまり、彼女たちが日頃、佐織さんのことを悪く言うのに慣れている、ということですね」

「それって、ひどすぎますよね」

「それだけ、佐織さんが今も昔も学校内においてマドンナ的存在ということなんでしょうね。佐織さんが眩しすぎて、罪悪感があまりないのではと思います」

眩しすぎて、罪悪感がない？

「えっと、どういうことですか？」

「一般人がアイドルのことを平気で悪く言えるのと似た状態なんでしょう。彼女たちの中には『佐織はあんなに美人で異性にもモテていて、良い思いをいっぱいしているんだから、自分たちはどれだけ悪く言ってもいいんだ』という免罪符《めんざいふ》があるのかもしれません」

一般人が人気アイドルのことを平気で悪く言えるのに近い心理、か。身近な友達なのに、そうなってしまうなんて。

ううん、身近だからこそ、妬みも倍増だったのかもしれない。

「でも、だからってそんな、あんなふうに大っぴらに悪く言うなんて」

「ええ、良くないことですね。むしろ、佐織さん本人の耳に届いても、構いはしないくらいなのでしょう。『少し嫌な思いをした方がいい』くらいに思っているかもしれません」

「そんなっ！　佐織さん、可哀相」

「同感ですね」

「……佐織さんはたしかに綺麗な方ですけど、そんなに嫉妬心を煽《あお》ってしまうほど、異性にモテるタイプなんでしょうか？」

だってほら、美人こそモテない、って話もあるくらいだし。

心でそう付け加えた私に、ホームズさんは「そうですね」と頷きながらコーヒーを口に運んだ。

「彼女は線の細い美しさと頼りなさを兼ね備えていますから、男の庇護欲《ひごよく》をかきたてるのかもしれませんね」

庇護欲。つまり男に『俺が守ってやりたい』と思わせるものが、彼女にはあるわけだ。

「ホームズさんも、佐織さんみたいな方は好きですか？」窺うように尋ねた私に、

「どうでしょう」と小首を傾げるホームズさん。

「なんですか、そのはぐらかした答えは。実際、美人だとは思いますよね？」

「ええ、そうかもしれませんが、僕は基本的に、女性の前で他の女性を誉めたりはしませんので」と言って笑みを浮かべたホームズさんに、私は「へっ」と目を開いた。

女性の前で、他の女性を誉めたりしないって……その『女性』って私のこと？

認識するなり、頬がカーッと熱くなった。

「な、何言ってるんですか、私なんて『女性』のうちに入らないでしょう」

「葵さんは、女性ではなかったんですか？　それは失礼しました」

「って、ちゃんと女性ですけど！」

ムキになって声を上げる私に、楽しげに笑うホームズさん。

まったく、本当にタチが悪い。いけずな京男子、健在だ。

ブスッとして頬を膨らませる私に、まだ、ホームズさんはクスクスと笑っていた。

その時、「清貴さん」と背後から女性の声がして、私は少し驚きつつ、そっと振り返った。

そこには、宮下さんのお母さんと佐織さんに香織さんの三人。

和服の二人に、香織さんだけがワンピース姿だった。

三人とも、どこか不安げな表情を見せている。

スッと立ち上がったホームズさんに合わせて、私もゆっくりと席を立ち、宮下さん母娘の元に向かった。

「今日はわざわざありがとうございます」

会釈をする宮下さんのお母さんに、佐織さんと香織さんも頭を下げた。

「いえ、素敵な作品に触れることができて、眼福《がんぷく》にあずかりました」

胸に手を当てて、優雅な笑みを湛える。上品さが全身から滲み出ているようだ。

本当にこの人のこういう部分は、素直に尊敬に値する。

だからこそ、ちょっと変な部分が際立って感じられるのかもしれない。

「まぁ、そんな。……それで、あの。何か分かりましたやろうか」

声を潜めた宮下さんのお母さんに、ホームズさんは「そう、ですね」そっと頷いた。

「ゆっくりお話ししたいので、明日はお時間ありますか？　できれば午前中が好ましいんですが」

「明日の午前中は早くから下鴨さんに呼ばれてまして」

「それは何時からですか？」

「九時からです。昼からまた、この華道展の方に戻らなあかんので」

「それでは、朝の八時に下鴨神社境内《けいだい》の『糺《ただす》の森』でお会いしましょう。その時間でしたら、人もいないでしょうし、ちょうどいいと思います」

「は、はぁ」

ホームズさんの提案に、三人は戸惑った様子で頷いた。

「それで、あの、何か分かったのでしょうか？」

「はい、分かりました」

アッサリと告げたホームズさんに、宮下さん母娘はおろか、私も驚いて、

「えっ？」と声を揃えた。

「わ、分かったって、ホームズさん、どこまで分かったんですか？」

「それはもちろん、この手紙の送り主ですよ」

ホームズさんはジャケットの内ポケットから折り畳んである怪文書を取り出し、ニッコリと微笑んだ。

7

「――ホ、ホームズさん、本当に犯人が分かったんですか？」

寺町三条の『蔵』に戻るなり、痺れを切らしたように大きな声を上げた私に、ホームズさんは露骨に顔をしかめた。

「そんな大きな声で『犯人』だなんて言わないでください。物騒な店だと思われるじゃないですか」

その言葉にハッとして口に手を当てた私に、店番をしていた店長が楽しげにクスクスと笑った。

「相変わらず、葵さんは元気でいいですね」

愛用のペンを手に原稿を書きながら、優しく目を細める店長。やっぱりホームズさんと店長はよく似ていて、親子だなぁと思わせられる。

オーナーであるお祖父さんは全然違ったけど……と、それはさておき、

「し、失礼しました」会釈をした私に、

「とりあえず、座ってコーヒーでも飲みましょうか」

ホームズさんは足取り軽く、裏へと入って行った。

ソファーに腰を掛けながらも、落ち着かない気持ちでいると、

「華道展はどうでしたか？」

優しく尋ねてきた店長に、私は「あ、はい」と視線を合わせた。

「とても素敵でした。生徒さんの作品もイキイキして良かったですが、特設会場入口に飾られた家元の大きな作品には圧倒されました」

「そうですか。私も行ってみようかな」

「オークラは歩いていける距離ですものね」

「華道展を観て、帰りに名物の生クリーム入りアンパンを食べて帰って来たいですね」

「生クリーム入りアンパンですか？」

「ええ、イートインしかできないんですがね、生クリームがたっぷり入ったアンパンがオークラの離れにありまして。その生クリームが甘すぎず、絶妙に餡子《あんこ》を引き立てているんですよ」

「わ、生クリームと餡子って、意外と合うんですよね！」

そんな話をしていると、コーヒーの匂いが鼻腔《びこう》をかすめた。

顔を上げるとトレイを手にしているホームズさんの姿。

「葵さん、今日はお疲れ様でした」

私の前に、いつものカフェオレを置いてくれた。

「ありがとうございます」

やっぱりこのカフェオレが大好きで、頬が緩んでしまう。ホームズさんは店長と自分のコーヒーをテーブルに置いたあと、ゆっくりとソファーに腰を下ろした。

「あ、あの、明日、私も糺の森に同行してもいいですか？　乗りかかった船で気になるというのか」

言い難さを感じながらも尋ねると、ホームズさんはにこやかに頷いた。

「ええ、ぜひ、葵さんも同行してください。乗りかかるどころか、もう、しっかりと船に乗ってしまっていることですし」

良かった。やっぱり真相を見届けたい。

「で、ホームズさんは誰が怪文書を送りつけたと思っているんですか？」

小声で身を乗り出した私に、ホームズさんは再び内ポケットから怪文書を取り出して、テーブルの上に広げて見せた。

「葵さん、この二つの手紙をよく見てもらえませんか？」

【お前は斎王代に相応しくない。今すぐ辞退表明しろ】

【早く辞退しろ。目障りだ】

新聞の文字を切り抜いて作られた二つの怪文書。

「これを見て、何か気付きませんか？」

そう問われて私はしっかりと手紙を眺めたあと、「あっ」と声を上げた。

「この二つの怪文書、なんだか違う」

最初の怪文書は、文字のひとつひとつがとても丁寧に綺麗に切り取り、貼られているのに対して、もうひとつの方が、なんていうか仕事が雑だ。

「これを見て、何かを感じませんか？」

目を光らせたホームズさんに、私は言葉を詰まらせた。

8

『糺《ただす》の森《もり》』

それは下鴨神社境内に広がる森の名称だ。

御蔭通《みかげどおり》に面する神社入口には、『世界文化遺産』という大きな石碑《せきひ》があり、そこから本殿に向かってまっすぐに延びる参道がある。その左右に広がる原生林こそが『糺の森』で、神社を含めてこの森も世界遺産に登録されているらしい。

ついでに言うと、ここも有名なパワースポットだとか。実はつい最近まで『パワースポット』なんて言われても、眉唾《まゆつば》ものだと思っていたけれど、京都に移り住んでから、少し考えが変わった。

こうして、特に朝の早い時間、誰もいない『糺の森』に足を運ぶと、『パワースポット』と呼ばれることも頷ける何かがある気がした。平地にもかかわらず、深い森に入ったような、高い山に登ったような、そんな澄んだ特別な空気が感じられる。

約束の八時よりも少し早くに糺の森に入った私は、少し散歩して大きく深呼吸をした。

(──ああ、気持ちいい)

キラキラと眩しく差し込む木洩れ日の中、鳥の声が響き渡る。

目を閉じて、森の音に耳を傾ける。本当に深い森にいるかのようだ。

その時、静かな足音とともに、

「おはようございます、葵さん、早いですね」

ホームズさんの声が耳に届いた。

そっと目を開けて、声のする方に顔を向けると、そこにはホームズさんの姿。

やっぱり、ホームズさんは素敵だ。

誰もいない糺の森に現れたその姿は、王子様というより、平安時代の貴族のようだ。

「お、おはようございます。はい、近所ですから」

「目が少し赤いですよ。もしかして、真相が気になって眠れなかったとか？」

すぐ側まで来て顔を覗いてくるホームズさんに、頬が熱くなる。

「そ、そりゃあ、気になりますよ。当然です」

結局、あのあと、真相を聞くことなく、『すべては明日に』とはぐらかされてしまったし。

「そうですよね。そして葵さんと同じように、気になっている方々がご到着したようです」

スッと姿勢を正して、振り返った彼に、私も「えっ？」と首を伸ばした。

ホームズさんの視線の先に、沈痛な面持ちで境内に足を踏み入れる宮下さん母娘の姿があった。

鳥の声と風の音しか聞こえない、私たち以外誰もいない静かな糺の森。

私たちの元までゆっくりと歩み寄る、宮下さん母娘の足音だけが響いていた。

三歩ほど離れた位置で三人は足を止めて、深々と頭を下げた。

「おはようございます」

「おはようございます。今朝は早くからお呼び立てしてしまって申し訳ございません」

胸に手を当てて頭を下げるホームズさん。その後ろで、私もペコリと頭を下げた。

「それで、あの、怪文書を送りつけた犯人は、本当にここに来るんやろうか」

静かな境内を見回しながら尋ねる宮下さんのお母さんに、ホームズさんはニコリと笑みを浮かべた。

「ええ。と言いますか、もう来られました」

その言葉に、宮下さん母娘は「えっ」と目を開いた。

ホームズさんはジャケットの内ポケットから、怪文書を一通取り出して、しっかりとした眼差しをある人物に向けた。

「この怪文書を作られたのは――あなたですね。香織さん」

香織さんを見詰めながら、ハッキリとそう言ったホームズさんに、宮下さんのお母さんは元より、私も「え、ええ?」と声を上げた。

香織さん?

斎王代の妹で、私と同級生の香織さん?

戸惑う私を余所に、冷静な表情のままのホームズさん。

しばし目を見開いたまま、その場に立ちつくしていた香織さんは、やがて体を小刻みに震わせた。

「ど、どうして、そう思われるんですか?」

香織さんの声が震えて、上ずっていた。

「そうですね。まず、僕は単純に疑問に思いました。どうして姉の佐織さんが名門の私立大学に通っているのに、妹の香織さんはごく普通の府立大木高校に通っているんだろうと。これは、きっと誰もが単純に抱く疑問だと思うんです」

その言葉に、私も思わず頷いた。確かに私も、『お姉さんがお嬢様学校なのに、どうして、妹の香織さんは普通高校なんだろう？』って、少し疑問には思った。

「それで、祖父に聞いてみたところ、あなたは中学まではお姉さんと同じ私立の学校に通われていて、高校から府立に移ったそうですね。『仲の良い友人たちが何人も、大木高校に進学するから、自分もどうしてもそこに行きたい』とご両親に哀願されたとか。大木高校は普通の府立とはいえ、歴史のあるなかなかの名門高校です。それで、ご両親もさほど反対することなく、許されたとか」

そう話すホームズさんに、宮下さんのお母さんは無言で頷いていた。

そういえばホームズさんが、『オーナーに確認したいことがあったというのに』と言っていたのは、このこと——香織さんが府立に移った理由だったんだ。

「ですが、それは表向きの理由ですね？　香織さん、あなたが中学二年の時に、宮下呉服店は知人の勧めで六本木のビルに支店を出したものの、事業が上手く行かず一年で撤退しています。あなたは、家の経済状態を気にして、府立高校に移ることを決めたのではないですか？」

優しい口調で尋ねるホームズさんに、香織さんは何も言わずに拳を握りしめた。

「そんな時に、佐織さんが斎王代に決まって、家のことを心配されたのではないですか？」

その言葉に、私は「ん？」と眉を寄せた。

「あ、あの、どうして斎王代に選ばれたことで、家のことを心配するんですか？」

「どこまでが本当のことかは分かりませんが、斎王代になるための準備のほとんどが自費だと言われています。衣装だけで五百万、斎王代に選ばれたらトータルで一千万はかかると噂されているんです」

「い、いっせんまん……」

「だから、昔から名家の娘さんにしか斎王代の話が来ないと言われているんです」

そうか、それで圭子さんたちが『無理してるんじゃないか』って話していたわけだ。

ようやく納得していると、香織さんはギリッと奥歯を噛みしめて、勢いよく顔を上げた。

「そうや！　うちは老舗と名ばかりで赤字続きや！　一昔前は有名な演歌歌手がこぞってうちで着物を作ってくれて、紅白の舞台に立ってくれていたかもしれへんけど、そんなん過去の栄光や。みんなもう、うちみたいな高いところでよう作らん！　それなのに上手い話に乗せられて六本木に支店を出したりして大赤字！　ようやく持ち直したかと思ったら、お姉に斎王代の話って、ありえへんやろ！　うちのお父ちゃんもお母ちゃんも、見栄っぱりで断れへんやろうから、怪文書を作って出したら大義名分が立つって思ったんや！　だから私は怪文書を作ったんやけど……ッ」

香織さんは勢いよくそこまで言って、言葉を詰まらせた。

その様子に、ホームズさんは優しく目を細めた。

「……ああ、やっぱりそうなんですね」

「えっ？」

「あなたは、怪文書を作りはしたけれど、それを使いはしなかった。違いますか？」

その言葉に、香織さんは大きく体をビクつかせた。

図星だったのだろう。彼女はギュッと拳を握りしめて頷いた。

「……せや。怪文書を完成させたものの、やっぱり戸惑いはあって。そんな時にお父ちゃんとお母ちゃんが、『佐織が斎王代に選ばれたのは、うちに追い風が吹いてるってことや。斎王代になるには金がかかるかもしれへんけど、広告費やと思えば安いものや』って。

その言葉を聞いて、自分が浅はかなことをしたって……。だから怪文書は処分しようと思ってたんやけど」

俯きながら言う香織さん。

「その処分しようと思っていた怪文書は、いつの間にか紛失して、お姉さんのバッグに入っていたというわけですね」

改めて尋ねるホームズさんに、香織さんはコクリと頷いた。

「茶封筒に入れたままやったし、何かの間違いで入ったのかもしれへんと思ったんやけど」

「それは違いますね。怪文書を見付けて、自らバッグに入れたんですよね、佐織さん」

とホームズさんはスッと向きを変えて、佐織さんを真っ直ぐに見た。

「……ッ」佐織さんの顔が蒼白していた。

「え、ほんまなん？　どうして？　あんた、斎王代に選ばれて、喜んでたやろ。そんな中、怪文書が届いたって悩んどったやん」

驚くお母さんに、佐織さんは沈痛の面持ちを見せた。

「それどころか、佐織さんは自ら、さらに怪文書を作ったんです。二通目のこの怪文書がそうです」とホームズさんは、二通目の怪文書をポケットから取り出した。

しばしの沈黙のあと、

「……どうして、分かったんですか？」佐織さんは俯いたまま、静かに漏らした。

「……華道展の二点の作品。あのうち、家で作られたという小さな作品は、あなたが作ったものではなく、妹の香織さんが作ったものですね？」

その言葉に、佐織さんと香織さんは虚を衝かれたように顔を上げた。

「ど、どうして？」

「先生は『出来が違う』と言っていましたが、そういう問題ではないんです。あれは、もう別人が作ったものにしか見えませんでした。教室で先生の前で作ったのがあなたの作品なら、家で作った作品は別人によるものだろうという結論になりました。

そして、この怪文書。しかし二通目は文字の切り口から貼り付けに至るまで驚くほどの繊細さを見せていません。一通目はそこまでの仕事ができていません。

作られた本人もそこに気付いているのか、文字も少なめです。それで、怪文書を作った者が二人、生け花作品を作った者も二人。おのずと、香織さんと佐織さんの姿が浮かび上がりました。ただし、二人が怪文書を作った動機は違うようですけど」

冷静に告げるホームズさんに、私は息を呑んだ。

そう、香織さんの動機は『家の経済状態を考えて』のこと。

それじゃあ、佐織さんは？

そっと、佐織さんに目を向けた。

ガックリとうな垂れて、今にも泣き出しそうな顔をしている。

「こ、これ以上……嫌われたくなかったんです」

少しの沈黙のあと、佐織さんは消え入りそうな声で漏らした。

「……高校時代、どうしてか急に圭子と優子に避けられるようになって、お母さんが怒鳴り込んでしまったことから、決定的に仲違いしてしまったんです。でも、私はもうずっとあの二人と元通りになりたかった。ようやく、あの頃の確執も薄れて、このままいったらまた前のように仲良くなれるかもしれないと思っていた時に、斎王代に選ばれて。

このニュースをキッカケに『良かったね』って言ってもらえて、仲直りできるかもしれないと思ったんですが、結果は逆でした。とことん嫌われてしまって……。

もう、苦しくて。怪文書が届いて、斎王代を辞退したりしたら、心配して優しくしてくれるかもしれないって。そうしたら、また前のように仲良くできるかもしれないって」

ボロボロと涙を零しながら告げる佐織さんに、絶句してしまった。

本人がつらかったのは分かるけど友達に同情してもらって、仲直りしたいがためにそんなことをしてしまうなんて。

大体、あの二人はとことん佐織さんを妬んでいるから、何があろうとも、もう仲良くできない気がするんだけど。

なんていうか、ものすごく浅はかで、言葉が出ない。

だけど、肩を震わせて涙を流す佐織さんの姿が、あの時の自分と重なった。

亡き祖父の遺品を売って、埼玉に帰ろうとしていた自分の姿。

他人から見れば、どうしようもないようなことでも、その人にとっては宇宙のすべてだったりするんだ。

佐織さんは、同じ学校で、同じ生け花教室で、かつての親友二人とともに学びながら、ずっとずっと苦しい思いをしていたんだ。

「――お姉のアホ！」

森に響くような声で叫んだ香織さんの声に、私は驚いて顔を上げた。

「お姉も、私と同じように家のことを心配して怪文書を使うた思ったら、そんなことで！　しょうもなさすぎて、涙が出そうや！」

わっ、香織さん。少し同感だけど、厳しい。

「香織には分からないわよ！　ずっと村八分にされてきた私の気持ちなんて！」

「分からへんわ、どうしてそんなしょうもない連中に固執すんの？　生け花かて、そんな好きでもないのに、あの二人といつか仲直りしたいってだけで習い続けたりして！　お姉の良さも分からず、悪くしか言えない連中に執着したりしないで、ええかげんに卒業して新しい世界に出てよ！　誰より綺麗な斎王代になって、あの二人がいつか『あの人と友達だったたんやで』って図々しく言い出すほど、素敵な女性になって！」

力いっぱいそう言った香織さんに、圧倒されてしまった。

そして、それは佐織さんの胸にも響いたようだった。「香織……」と漏らし、顔を真っ赤にして、また涙を流した。

シンとした静けさに包まれる中、ホームズさんはパチパチと拍手をした。

「素晴らしいです、香織さん」

その言葉に香織さんは、我に返ったように頬を赤らめた。

「というわけで、宮下さん。これはお返しいたしますね」

二通の怪文書をスッと差し出したホームズさんに、

「……本当にお恥ずかしいこと。ありがとうございます」

宮下さんのお母さんは弱ったように、その手紙を受け取った。

「清貴さん、本当に申し訳ございませんでした」

頭を下げる佐織さんと香織さんを前に、ホームズさんは「いえいえ」と首を振った。

「佐織さん、僕も香織さんの言葉に賛成です。どうか、観るものすべてを魅了するような素晴らしい斎王代を務めてください」

その言葉に、佐織さんは指先で涙を拭いながら頷いた。

「そして香織さん。あなたにお聞きしたかったんです」

「は、はい?」

少し警戒したような目を見せる香織さん。

今までズバズバ当てられて、恐怖を感じているのだろう。

「家のために府立に移ったり、姉のために花を生けたり、どうしてそんなに献身的になれるのでしょうか? あなたこそ花を生けるのが好きで、でもお姉さんに習い事を譲ったのではないですか?」

香織さんはポカンと目を開いたあと、小さく笑った。

「あ、いえ。私は次女で、いずれ家を出て自由にできる身なんです。だけど姉は、婿を取って家を継がなければいけない身。

だから家の名誉のために良い学校に行くのも、習い事も当然だと思っているんです。そんな姉を尊敬すると同時に、気の毒に思う部分もあるので、できる限りサポートしてあげたいと思っていまして。姉は、器量はいいんですけど、本当に他はてんでダメな人なんで」

そう言って明るい笑顔を見せた香織さんに、私まで晴れやかな気分になるようだった。

「お母ちゃん、そろそろ社務所に行かへんと」

そのあとすぐに、腕時計を目にしながら言う香織さんに、宮下さんのお母さんと佐織さんはハッとしたように顔を上げた。

「そやね。それでは、清貴さん。このたびは、身内のことでお騒がせいたしまして、本当に申し訳ありませんでした。あの、できれば、このことは……」

「ええ、誰にも口外しませんので、大丈夫ですよ」

その言葉に三人は安心したように息をつき、深々と頭を下げて、そのまま本殿の方へと歩き出した。

私はそんな三人の後ろ姿をなんとなく眺めながら、

「か、香織さん」気が付くと、声を上げてしまっていた。

『なんだろう?』という様子で振り返った香織さんに、急にドキドキしてしまう。

って、なんで私は、彼女を呼び止めたんだろう?

「あ、あのね、ホテルオークラにね、生クリームがたっぷり入ったアンパンがあるんだって。そ、それはテイクアウトはできないみたいで。わ、私、一人では入れないし、もし良かったら、今度一緒に行こう?」

声を上ずらせながらそう告げた私に、香織さんは少し驚いたような顔をしたあと、

「オークラの名物アンパン、噂だけは聞いたことある! 私も食べてみたかったの、今度絶対に行こうね」と笑顔を見せてくれた。

「あ、ありがとう」手を振りながら、嬉しさに鼓動がさらに強くなっていた。

「良かったですね、自然に『友達になりたい』と思える方に出会えて」

優しい笑顔を向けるホームズさんに、何も言えないままコクリと頷いた。

そうだ。理屈じゃなくて、『この人と友達になりたい』って思ったんだ。

ふぅ、と息をついて、改めてホームズさんを見た。

「……大ごとになることなく、無事、解決して良かったですよね」

「はい。お二人が素直に打ち明けることができたのは、場所も良かったのかもしれませんね」

「そうですね、すごく神聖な雰囲気だし」

「それもそうですけど、『糺の森』の由来をご存知ですか?」

「え、由来ですか？」

「糺の森は祭神の『賀茂建角身命《かもたけつぬみのみこと》』が、この鎮守《ちんじゅ》の森で裁判を行ったという神話に由来するそうです。『糺《ただ》す』とは取り調べること。ここは、神々の裁判所だったんですよ」

天を仰ぎながら言うホームズさんに、私は大きく目を開いた。

――神々の裁判所。ここ、糺の森は、そんな神聖な場所だったんだ。

爽やかな風が吹き抜ける。

「さて、本殿に参拝しに行きましょうか」

「あ、はい。せっかくですもんね」

頷いて、私たちも参道を歩いた。

朱色の鳥居の向こうに、同じく朱色のそれは立派な楼門《ろうもん》が見える。

手前左側には、二つの木が一つに重なったという、不思議な木も。縁結びとして、知られているらしい。

本殿へと続く門をくぐると、十二支の神様を祀《まつ》った社がグルリと並び囲んでいて、その先、中央に大きな社殿がある。ここには鈴はない。

うんと古くからある神社には、鈴がないことが多い、と以前ガイドさんが話しているのを聞いたことがあった。

参拝したあと、ホームズさんは腕時計に目を向けた。

「――まだ、九時前ですか。葵さん、もし良かったらモーニングでも食べに行きませんか？」

「は、はい、ぜひ。実は朝から何も食べてないんです」

「それは良かった。この近くにおススメのカフェがあるんですよ」

「わぁ、楽しみです。あ、その前におみくじ引いてもいいですか？」

「ええ、下鴨さんのおみくじは格言なんかも書かれていまして、興味深いんですよ」

「さすが、なんでも詳しいですね」

なんて話しながら、私たちはおみくじを引いて、神社を後にした。

9

そうして、五月十五日、葵祭本番の日。

葵祭は、正式には『賀茂祭《かもさい》』といい、祇園祭、時代祭と並ぶ京都三大祭のひとつ。

この賀茂祭は日本最古の祭りと言われているとか。

飛鳥時代、天災に見舞われ多くの人民が被害に遭《あ》い悩んだ当時の天皇・欽明天皇《きんめいてんのう》が、高名な占い師に相談したところ、出た答えは、『賀茂《かも》の大神の祭りをしてください』。

これが賀茂祭の始まりだそうだ。

平安遷都後、嵯峨《さが》天皇は最愛の娘・有智子内親王《うちこないしんのう》を賀茂の社に巫女として奉仕させたそうで。以来、一身を神に捧げた内親王を『斎王』として仕えるその儀式が、『葵祭』として国を挙げてのお祭りになっていったとか。

神に仕えるために輿《こし》に乗って、社殿へと向かう皇女。それを祝福する民衆。

そう、これこそが『葵祭』の形。現代では、京に住む未婚のお嬢様が斎王の代わり『斎王代』に選ばれ、輿に乗って祭りの主役となるわけで。

歴史をこうして知ると、やっぱり名誉なことなんだと改めて思う。

いろいろあった中、覚悟を決めて、今年の主役となった佐織さん。

十二単を纏い美しい斎王代となった佐織さんが輿に乗って御所《ごしょ》を出た時には、その神々《こうごう》しさにみんなが溜息を漏らした。

何か吹っ切れたのだろう、その表情には強さが感じられた。

あまりの美しさに、いつもは関西圏内のニュースに留まるところが、今回ばかりは全国で大きく取り上げられ、やがて佐織さんにテレビ出演の話まで来ることになるのだけど、それは少し先の話。

ホームズさんとともに、斎王代となった佐織さんの姿を境内の観覧席から眺めながら、あの怪文書事件を変にこじらせることなく、解決させることができて本当に良かったと、心から思った——薫風《くんぷう》が心地よい、葵の頃だった。

第三章　『百萬遍《ひゃくまんべん》の願い』

1

京都も六月に入り、梅雨の季節となった。

静かなジャズが流れる、『蔵』の店内。

店長が原稿用紙にペンを走らせる音が響いていた。

私はバインダーを手に、商品をチェックしながら、ふと手を止めて窓の外に目を向ける。

畳んだ傘を手にしながら、アーケード内を歩く人たちが見える。

今も雨が降っているのだろう。この時期は、まるで空が泣いているようだ。

「――葵さん、どうかされました？」

店長の言葉に我に返って、バインダーを持ち直した。

「あ、すみません。ちょっと、ボーッとしちゃってました」

「疲れたら、どうぞ気兼ねなく休んでくださいね。ここでご自分の宿題をされても構いませんし。私も清貴も自分のことをやっていますから」

眼鏡の奥の目を柔らかく細める店長に、「いえいえ」と首を振った。

「バイト代を頂いているんですから、微力ですがお仕事をします。……でも、そんなこと言っててボーッとしてちゃダメですよね」

肩をすくめた私に、店長はクスクスと楽しげに笑った。

本当に、こういう時の雰囲気は、ホームズさんそっくりだ。

ちなみに今、ホームズさんは大学に行っていて、オーナーは相変わらず、どこかを飛び回っているらしい。

「うちは、こうしてあまり客の入らない店ですが、誰もいないわけにはいかないので、留守番してくれる方がいてくれるだけでありがたいくらいなんですよ。その上、葵さんは掃除やディスプレー、在庫チェックにラッピングまでがんばってくれていて、本当に感謝しています」

そう言って優しい笑みを見せてくれる店長さんに、少し救われた気持ちになる。

「あ、ありがとうございます」

「在庫チェックもキリがないことですし、少し休憩にしてコーヒーでも飲みましょうか」

「あ、それじゃあ、私が用意しますね」

コーヒーを淹れることが趣味だというホームズさんと違って、店長はお茶を淹れる類のことが苦手らしい。

そんなわけで、ホームズさんがいない時、お茶の用意をするのは私の役目だった。

自分なりに丁寧にコーヒーを淹れて、「どうぞ」と店長の近くにコーヒーを置いた。

原稿があるから、コーヒーを置く時に神経を使ってしまう。

手書きの原稿は、達筆すぎて（？）私には何を書いているのかほとんど読めない。

「今時、手書きの原稿なんて時代錯誤でしょう」

私の視線に気付いたのか、カップを手にそんなことを言う店長。

「あ、そうですよね。みなさん、パソコンを使われると思っていました」

頷きながら、お客様が入店してもすぐに対応できるように、店長の横に腰を下ろす。

「編集者泣かせだなんて、囁かれているんですよ」

この手書き原稿をすべて入力しなきゃいけないんだから、たしかに編集者泣かせかもしれない。そして編者者さんはこの文字を読めるんだ……と妙なことにまで感心してしまう。

「店長はパソコンが苦手なんですか？」

「パソコンが苦手ということもないんですよ。メールで打ち合わせもしますし、エクセルで店の管理もしていますしね」

なんだか、意外だった。パソコンが苦手で、手書きなのかと思っていたから。

「それじゃあ、どうしてパソコンを使われないんですか？　手書きの方が疲れますよね？」

「そうですね……書きはじめた頃から手書きだったから慣れていたりもしますし、何よりキーボードで文字を打ち込んでも、魂が込められないような気がするんです」

「……魂、ですか？」

「これは人それぞれの話なんですが、わたしの場合は手で書き綴ることで、さらに多くのものを込められるような気がするんですよ」

「そうかも。手紙なんかでもそうですよね」

「そうですね。手書きの手紙は本当になくしてほしくない文化ですね。ですが、作品の場合は結果的に編集者がデータにするわけですから、関係ないことなのかもしれませんが。気持ちの問題ですね」と言って小さく笑う店長さん。

魂が籠《こも》る、か。

「……店長さんの作品、少しずつ読ませてもらってます。すごいですよね、確かに『魂が込められている』という感じがします」

店長の筆名・伊集院武史著作の『後宮』。

それは平安時代の後宮、つまりは大奥を舞台にしたもので、出世欲から人を蹴落としていく大臣や、帝の寵愛《ちょうあい》を受けるべく必死になる側室たちの姿を描いた、嫉妬渦巻く、ハッキリ言ってドロドロの愛憎劇だ。

あまりに緻密《ちみつ》にリアルに描かれていて、入り込みすぎて苦しくなってしまうことから、一気に読み進められないほど。

この穏やかで優しい店長が、あんなドロドロな物語を描いちゃうことが意外だった。

「そうですか、本当に読んでしまっているんですね。作品に触れて、私が読んでほしくなかった気持ちを理解できたのではないですか？」

コーヒーを口に運びながら、苦笑を浮かべる店長に、ドキリとしてしまう。

「あ、は、はぁ、まぁ、なんて言いますか、ドロドロしていたのが意外でした」

つい正直に言ってしまった私に、店長はクスリと笑った。

「……わたしの内に秘めた黒い部分を、全部作品に吐き出しているんですよ」

店長は窓の外に目を向けながら、まるで独り言のように零した。

「内に秘めた黒い部分……」

私もつられるように、窓の外に目を向けた。

分かる気がする。

店長の言葉が、なんとなく理解できる気がした。

私にも、どうしようもない黒い部分があるから。

「……わたしは幼い頃に母を失いましてね。他界したわけではなく、離婚だったのですが。そうして父子家庭になり、父もあの通り飛び回っている人ですから、わたしは東京の親戚の家で育てられたんです」

今、店内に流れるジャズの音色のように、それは静かに、とても自然に語り始めた店長に、私は何も言わずに次の言葉を待った。

「その親戚とは父の弟夫婦でして二人には子どもがなかったこともあって、とても良くしてくれたんです。それでも、やっぱり本当の親子じゃないですからね、わたしはいつもどこか寂しかったんです。父を恋しく思いまして、学校の長期休暇時にこの京都に帰って来るのですが、父と一緒に過ごしても、なんだか居たたまれないんですよね。男同士、ぎこちない時間を過ごすだけでした」

それも、なんとなく分かる気がした。

母子ならさておき、いきなり父子二人だけってなんだか、不器用で気まずくなりそうだ。

「わたしの扱いに困った父は、自分を仕事の現場に連れて行ってくれました。美術館や富豪の家に呼ばれての鑑定。すぐに贋作を見破る父の姿は、幼い自分にとって、眩しいくらいにカッコよく見えたんです。まるで犯人の正体をすぐにあばくことができるシャーロック・ホームズのようだってね。あ、読書好きな子どもだったんで」

そう付け加えた店長に、私は微笑みながらコクリと頷いた。

「わたしは父に激しく憧れ、いつか父のような鑑定士になりたいと思いました。京大に進学したのは、父の側に戻りたい一心でがんばったからです」

「……そうだったんですか」

「だけど、自分には『目利き』としての素質が足りないことに気付きました。これは、もうどうしようもないことです。鑑定士になる夢を諦めまして、出版社に就職しました。

夢は叶えられませんでしたが、交際していた女性と結婚して、清貴を授かってと、幸せな日々を送っていました。父ははじめての孫である清貴を、それはもう可愛がりましてね」

「……そんな感じしますね」

「恥ずかしながら、わたしは自分の息子に嫉妬心を感じてしまいました。父に可愛がられた記憶があまりないからでしょう。清貴を可愛く思うのに、父から惜しみない愛情を受け取る姿が羨ましく思えたんです」

その言葉に、少しの苦しさを感じた。自分の子どもに嫉妬するなんて、ありえない話だけど、店長の境遇なら仕方がないのかもしれない。

「……清貴が二歳の時に、妻が病気で他界してしまいましてね……。キッカケは、ほんの小さな風邪を大きくこじらせてしまったことなんです」

「そんな……」

「ただの風邪が発端で、他界してしまったことで、父は清貴に対して恐ろしい程に神経質になりました。『まだ、体がしっかり育っていない中、病原菌だらけの幼稚園など行かせられない』と言い張りまして。『集団生活の中、色んな菌を受け取って丈夫になるから』というわたしや他の人間の言葉には耳も貸さず、父は清貴に付きっ切りになりました。

清貴は聞き分けの良い大人しい子だったのもあり、父はどこに行くのにも、清貴を同行させたのです。鑑定の場から、競り市まで」

——驚いた。それじゃあ、ホームズさんは幼稚園とかに行っていないんだ。

「元々、特別な『目』を持っていた清貴は、幼い頃より父に連れられて本物だけを観てきたことで、さらにその才能を磨いていったのです。

ある時、父と清貴とわたしの三人で寺の骨董市に行った時のことです。清貴はわたしの袖をそっと引いて、『すごいね、こんなところに、月之輪涌泉《つきのわゆうせん》の鉢があるよ』と言ったのです。わたしの日にはただの鉢にしか見えない。その言葉に、父は目の色を変えて、『お前は天才や！』と声を上げて喜びました。本当ならば、わたしも親として喜ぶところでしょう。それなのに、どうしようもない嫉妬にかられてしまったのです」

そう言って目を伏せる店長に、息を呑んだ。

なんて言っていいのか分からない。

「清貴を愛しながらも、苦しく嫉妬する。この気持ちをどうしていいのか分からずに、ペンを取って物語を綴りました。歴史をベースに、才能のある若者にどうしようもなく嫉妬して苦しむ師匠の話を書いたんです。それが新人賞を獲りましてね」

「えっ、本当ですか？　すごいです」

「……ありがとうございます。そうした経緯で、わたしは作家としてデビューしました。ですが、今も清貴の才能に、焦げるような嫉妬を覚えるんです。そうした黒い感情をすべて、文章にぶつけているんですよ」

店長は静かにそう告げて、コーヒーを口に運んだ。

……そう、なんだ。

一番近い存在に、嫉妬してしまうのは苦しいだろうな。

何も言えずにいる私に、店長は苦笑した。

「突然、あけすけな話をすみません。人に話したことなんてないんですが、葵さんは不思議な魅力をお持ちなのかもですね」

「い、いえ、そんな。多分、店長は今の私に同じものを感じたからなのかなって。私も黒い感情が渦巻いていたりするんで」

「……恋人を盗《と》った、かつての親友にですか？」

声を抑えて尋ねる店長に、そっと頷いた。

「はい。その二人に、ですね」

「そろそろ埼玉までの交通費が貯まった頃ではないですか？」

「はい、交通費は、なんとか貯まりました」

「六月は連休がないですし、来月の夏休みに帰られるのですか？」

改めて問われて、言葉が詰まった。

何も言えなくなった私に、店長は優しく微笑んだ。

「焦ることはないですし、ゆっくり考えるといいと思いますよ」

コクリと頷いた時、店長は扉の向こうを眺めて、そっと目を細めた。

「ああ、清貴が来ました」

その言葉に、私も顔を上げた。

カランとドアベルが鳴って、ホームズさんが姿を現す。

「お疲れ様です」

ホームズさんは私たちを見て会釈をしながら、傘をスタンドに入れた。

「雨はどうだい？」

「もう上がりますね。明日は晴れるでしょう」

「明日は十五日か」

と、店長は机の上のカレンダーに目を向けた。

明日は日曜で、私もまたここにバイトに入ることになっていた。

「清貴、今月も行くのか？」

「ええ、そうしたいと思ってます」

「それなら、葵さんを誘ってあげるといい。きっと彼女の勉強にもなるでしょう」

思い付いたように言う店長に、私は「えっ？」と目を開いた。

「えっと、どこに行くんですか？」

戸惑う私に、ホームズさんはニコリと微笑んだ。

「百萬遍知恩寺《ひやくまんべんちおんじ》の『手づくり市』です。毎月十五日にフリーマーケットのようなことを催しているのですが、時に驚くほどの掘り出し物に出会えることがあるんですよ。父が言うように、葵さんの勉強にもなると思いますので、ぜひ一緒に行きましょう。もちろん、バイトの一環ということにしますよ」

「は、はぁ」

私はよく分からないままに、なんとなく頷いた。

2

そうして翌日。

私は『百萬遍』向かって自転車を走らせていた。

『百萬遍知恩寺』は、私の家から、それほど遠くない。

というか、寺町三条に行くより、ずっと近かったりする。

下鴨本通（縦道）を南へとくだって、今出川通（横道）に合流したなら、左（東）へと曲がる。やがて、『百万遍交差点』という賑やかで大きな十字路に着く。斜向かいには京大校舎が目に入る。

その交差点を少し東に進んだところに『百萬遍知恩寺』はあった。

だけど私は、京大の駐輪場でホームズさんと待ち合わせしていたため、少しドキドキしながら自転車のまま京大構内に入った。

日曜にもかかわらずたくさんの学生が往来している。シャツにジーンズという、ごく普通の出で立ちの学生もいるけれど、ボサボサ頭でスウェットやジャージ姿という、お洒落に少しも気を遣っていない学生の姿が強烈なインパクトを与えていた。

「………」

そういえばクラスの友達が、『やる気のない格好をしている学生を見掛けたら、つい京大生かと思うわ』なんて話していたなぁ。

本当にやる気のない格好の学生が多いんだ。学問に夢中になりすぎて、スタイルまで気が回らないのかな？

京大の構内なんて入るのは初めてだから、少しドキドキしたけれど、気の抜けたスタイルの人たちのお陰で緊張感は薄れたかも。

と、それよりも。駐輪場が広すぎるんだけど、どこに停めたらいいんだろう？

キョロキョロと見回していると、

「葵さん、おはようございます」ホームズさんの声が耳に届いた。

声のする方に顔を向けると、ラフなジャケットにV字シャツにジーンズという、シンプルだけどきれいめファッションに身を包んだホームズさんの姿。

やっぱり、ホームズさんはカッコイイ。また、京大構内というロケーションが彼のイケメン度合をさらに強調させているように見えた。

「お、おはようございます。よくここだって分かりましたね」

「ええ、葵さんが今出川から知恩寺を意識しつつ、京大構内に入るということは、そこの門からかなと思っていまして」

サラリと答えるホームズさん。

愚問だったな、と聞いたことを後悔した。

「ここに停めちゃっていいですか？」

「ええ、大丈夫ですよ」

「そういえば、ホームズさんは……」

そこまで言いかけて口をつぐんだ。

今さらかもしれないけど、人前で『ホームズさん』なんてニックネームで呼ばれたら、恥ずかしく思うかもしれない。何より、ここは大学構内だし。

それじゃあ、『清貴さん』って呼んだ方がいいのかな？　それとも『家頭さん』？

自転車にロックをかけながらそんなことを懸念していると、

「あー、ホームズ君、今日来てたんや。このあとも校舎におる？」

通りすがりの女子大生が声を掛けてきて、思わずむせそうになった。

「いや、今から知恩寺に行くんやけど、どない？」

「知恩寺！　そっか、十五日やもんね。ホームズ君、レポート見てもらいたかってん。週明けでええから、見てくれへん？」

「かまへんで」

「おおきに。それじゃあ、また」と手を振り、去っていく女子大生さん。

学生同士だから当たり前かもしれないけど、敬語じゃない上、関西弁のホームズさんが少し新鮮だ。

……って。

「ホームズさんって、大学でも『ホームズ』って呼ばれているんですか？」

驚きに声が少し裏返る。

「ええ、小学生の頃から、ずっと呼ばれていて、今に至ります。苗字が家頭ですので」

こちらを向くなり、いつもの口調に戻るホームズさん。なんだか変な感じだ。

「そういえば葵さん、何か言いかけていませんでした？」

「あ、そうだ。今さらですけど、ホームズさんって大学では主に何を学んでいるんですか？」

「主に『文献文化学』を学んでます」

「はぁ、文献文化学？」

よく分からないけど、ホームズさんらしいかも。

「それじゃあ、行きましょうか」

「あ、はい」

ホームズさんと並んで門に向かって歩く。

通り過ぎる学生が、チラチラとホームズさんを見ていた。

うん、ホームズさん、カッコイイものね。背も高いし。

葵祭騒動の時、女子大生や斎王代さんまでもが色めき立ったくらいだし、きっとモテるに違いない。

……思えば、ホームズさんって、彼女とかいるんだろうか？

三カ月ほど『蔵』で一緒に働いているけど、『彼女』の影がチラついたことがないから、特別意識したことがなかったけど……。

黙って歩いていると。

「どうかしましたか？」と、ホームズさんが不思議そうに顔を覗いてきた。

「は、はい？」

思いきり声が裏返る。

「何か考えごとをしているようだったので」

「あ、あー、まぁ。って、そんなこと言って、私が何を考えているか、またお見通しだったんじゃないですか？」

「葵さんの考えていることは、割と察知できることが多いのですが、今はちょっとよく分からなかったので」

そんなふうに言うホームズさんに、頬が熱くなる。

まさか、『ホームズさんの彼女の有無について考えていた』なんて言えない。

変に誤解されちゃうかもしれないし。

「ま、まぁ、たいしたことは考えてないんですよ」

「そうですか。そんな感じはしました」

「って、ひどい」

そんな話をして笑いながら、校門を出た。

再び、百万遍の交差点が目に入る。たくさんの人で賑わう十字路。さすがは学生街。餃子店、牛丼店、ハンバーガー店、焼鳥屋、居酒屋と飲食店に囲まれていた。

「すごい飲食店の数ですよね」

「ええ、賑やかですよね」

「ホームズさんも学校帰りに居酒屋に行ったりするんですか？」

「たまには行きますが、店のこともあるんで、なかなか」

「ああ、店番がありますもんね」

頷きながら横断歩道を渡って、東へと歩いた。

すると、すぐに見えてくる古くも立派な寺の門。

『手づくり市』という看板が立て掛けられていて、その中は大変な賑わいだった。

パラソルやテントの下、置かれたたくさんのさまざまな商品。境内はそれらを見に来た客で、埋め尽くされていた。

「う、うわ、ものすごい盛況ぶりですね」

入口で圧倒される私に、ホームズさんは小さく笑って頷いた。

「手づくり市は毎月十五日に開催されるんですが、やはり休日と重なると混み合いますね」

「そっか、今日は日曜だから。平日はもう少しマシなわけなんですね」

ともに人で混み合う境内に入り、ゆっくりと歩きながら、商品を眺めた。

ごく普通のフリーマーケットのように服なんかも売られているけど、さすがは京都、着物や帯、端切れを売ってる人も多い。

羊毛フェルトで制作した可愛らしい小物が売られているかと思えば、本格的な革のバッグや靴までも販売している人がいる。

アクセサリーにがまぐちの財布。

漬物やちりめんじゃこ、クッキーやコーヒーまで、本当に品数と種類の豊富さに驚くと同時に、楽しくもなってくる。

「お祭りみたいで、楽しい気分になりますね」

「それは良かった。市場でこうしたお宝に出会えることも、また楽しみのひとつなんですよね」とホームズさんは、陶器のカップをそっと手に取った。

「……深い色合いに、しなやかな丸みの、なかなか良い形のカップです」

ホームズさんの言うように、黒の中に深い藍色が混ぜられた、柔らかな丸みの素敵なカップだった。

でも、取っ手のところに『一五〇〇円』という札がついている。ごく一般的な値段だ。

「……それは、隠れたお宝なんですか？　昔の偉人が作った物だとか」

小声で尋ねた私に、ホームズさんは小さく首を振った。

「いいえ、これは正真正銘、あちらにいる販売主さんの制作品でしょう」

視線の先には、パイプ椅子にデンッと座ってる、髭だらけのいかつい中年男性の姿。

う、うわ、気難しい陶芸家って感じの怖そうな人！

「彼はきっと、とても優しくて繊細な方なんでしょうね」

カップを眺めながらシミジミと零すホームズさんに、「え」と動きが止まった。

「な、何言ってるんですか、山に籠って熊と戦ってそうな感じですよ」

さらに小声で言う私に、ホームズさんはクスクス笑った。

すると、そのクマと戦っていそうな髭だらけのおじさんは怪訝そうに顔をしかめながら、

「兄ちゃん、どうするん」と歩み寄ってきた。

「ええ、頂きたいです。この曲線と色合いが絶妙な、素晴らしい逸品ですね」

ニッコリと笑ってお金を差し出したホームズさんに、彼は照れたのか言葉を詰まらせて、無言でカップを新聞紙で包装し、ビニールの袋に入れて、

「ほらよ。あと、これはオマケだ」と飴玉を二つつけてくれた。

お、おまけをくれた！ ホームズさんに誉められて嬉しかったんだね！

「ありがとうございます。また、先生が生み出す逸品を楽しみにしていますね」

袋を受け取りながら言うホームズさんに、

「せ、先生て、あかんやろ。なんやそれ、先生て！」

今度は露骨に顔を紅潮させるオジサン。

……あ、なるほど。本当に優しくて、繊細な人なのかも。

なんだか、妙に納得してしまった。

「早速、思わぬ掘り出し物に出会えて嬉しいです」

カップを手にホクホクした様子を見せるホームズさん。

「今の方、いずれ有名になると思いますか？」

「どうでしょう？ 素晴らしい才能をお持ちだと思いますが、有名になるかどうかは、時の運ですからね。……それに他の作品は、このカップほどの輝きがありませんでしたし。

ムラのある方なのかもしれませんし」

最後にそう付け加えたホームズさんに、思わず笑ってしまった。

「もしかしたら、このカップ、あのオジサンの奇跡の一品だったのかもしれませんよ」

「そうかもしれませんが、でも、これだけのものを作れる腕を持っているということです」

「ホームズさんに『先生』って言われたことで、開眼したりして」

「それなら、ありがたいですし、本当に楽しみですね」

「なんだか私も掘り出し物を探したくなりました」

「ええ、ぜひ。そうした勉強を兼ねて、お誘いしましたから」

「あ、そうでした、がんばってみます」

「がんばらずに、楽しんでくださいね」

「はい」

二人でクスクス笑って、さらに境内にあるさまざまな商品を見て回った。

人をかき分けるように歩いていると、お坊さんが本堂から姿を現した。

「これから、本堂にて『百萬遍』という名に関する由来の話をします。もし良かったら、聞きに来てくださいね」

みんなに向かってそう声を上げたお坊さんに、手づくり市に来ていたお客さんは、まるで聞こえていないかのように、買い物に夢中になっていた。

「葵さん、せっかくですから、お話聞きませんか?」

笑顔で尋ねるホームズさんに、「はい」と頷いて、本堂へと向かった。

本堂は、まず中央に金色の立派な祭壇とご本尊があり、天井から吊り下げられた、同じく金色の灯籠や天蓋が目に入る。

「失礼します」私たちは靴を脱いで、畳の上に膝を揃えて座った。

本堂には私たち以外に数人のお客さんしかいなかったものの、その後の呼びかけもあり、気が付くと結構な人が集まって来ていた。

お坊さんはニコニコ笑いながら、私たちを見回し、ペコリと頭を下げた。

「バザーもええけど、こうした機会に、ぜひお堂に立ち寄って、お寺の話というものも聞いていっていただけたらと思います。掘り出し物をGETしたあとで、構いまへんので」

なんて言うお坊さんに、他のお客さんとともにクスクスと笑った。

お坊さんの口から『GET』なんて言葉が出て来るなんて、意外で面白い。

「えー、それでは、『百万遍』という名前の由来のお話をさせていただきたいと思います。足は崩してもろてええんで、気楽に聞いてください」

と言ってくれたお坊さんに、つい遠慮なく少し足を崩してしまった。

お坊さんの話は、こうだった。

——それは今から約六八〇年前。

京の町では、大変な疫病が蔓延し、深刻な事態となったそうだ。

たくさんの死者が出て、その亡骸が鴨川の河原にズラリと並んだほどで、その光景を見た当時の御上・後醍醐《ごだいご》天皇は嘆き悲しみ、『どうしたら、良いものか』と、京中の神社仏閣関係者に相談するも、この事態を打破できる者が現れなかったそうだ。

そんな中、白羽の矢が立ったのが、当時の有名僧・知恩寺の善阿《ぜんな》さん。

後醍醐天皇に頼まれた彼は、御所に籠って『南無阿弥陀仏』と念仏を唱え続け……。

籠ること七日間。彼の念仏が届いたのか、猛威を振るった疫病が治まった。

ようやく出て来た彼に、後醍醐天皇が尋ねた。

「善阿よ、籠っている間、そなたは何回念仏を唱えたのだ？」

そこで彼はニコリと穏やかに微笑んで、

「百萬遍唱えました」と答えたとか。

「――こうして、ここが『百萬遍知恩寺』と呼ばれるようになったというわけです」

話し終えたお坊さんに、私は本堂にいる皆さんとともに拍手をした。

3

「すごく興味深かったです。話を聞いて良かった」

本堂を後にしながら少し興奮気味に語る私に、ホームズさんは柔らかく目を細めた。

「そうですね。こうしたところに来て、時間があるようでしたら、お話を聞いていくというのは、非常に良いことだと思います」

「本当に。だけど善阿さんも、なかなか上手いことを言いますよね。私なら『数えてないので分かりませんが、一生懸命唱えました』とか、面白味のないことを言ってしまいそうです」

「ええ、そこで『百萬遍唱えました』と返した彼は、非常に頭が良く、ユーモラスな面もあったように思えますね」

そんな話をしながら、再びにぎやかな『手づくり市』会場に戻る。

骨董品売り場の方に目を向けて、ホームズさんは「ん？」と目を凝らして、足を止めた。

「ホームズさん、どうかしましたか？」

突然立ち止まったホームズさんに、少し戸惑いながら振り返った。

「あ、いえ。あそこの骨董品コーナーの店長さんを知っているんです」

ホームズさんは、骨董品を売っている中年男性に目を向けた。

「……金林《かねばやし》さんという方でして、彼も骨董品店を経営していたんですが、確か先月、店を閉められたんです」

「それじゃあ、店に残った品を処分するのに出店しているわけですね」

「そうなんでしょうね」と少し離れたところで私たちが話していると、初老のご婦人が金林さんの元に歩み寄った。

「あらあら、金林さんちゃう？　店閉めた言うから心配してたんやで」

そう声を上げるご婦人に、金林さんは笑顔を見せた。

「中本はん、久しぶりやなぁ。倒産ちゃうで。骨董品はあんまり儲からんから、思い切って店閉めて、大阪で商売することになったんや」

「ほうか、そら良かったわ。で、在庫処分かいな」

「せやねん、買っていって。あ、でも、これは看板として置いてるだけで売れへんけどな」

と金林さんはテーブルに飾っている徳利を指した。

「へぇ、これはええもんなん？」

「そやで。これは『海揚《うみあ》がりの古備前』やねん。中本はんも聞いたことあるやろ」

「海揚がりのなんやらってのは、聞いたことあるわ。珍しいんか？」

「せやで、滅多に手に入らんお宝や。せやから、自分の商売のお守りとして、こうして飾ってん。だからこれは売れへんのや」

そんな二人の会話をなんとなく聞きながら、私はチラリとホームズさんを見た。

「……ホームズさん、『海揚がりの古備前』って？」

「『海揚がりの古備前』はですね……。昭和十年代に、瀬戸内海に沈んでいた船が発見されまして、そこから桃山時代の古備前が引き上げられたんです。当時、骨董品界では大変なニュースとなったわけですが、それが『海揚がりの古備前』なんです」

「沈没船に眠っていたお宝というわけなんですね」

「そうですね」

ホームズさんは私に説明をしながら、金林さんから視線を外さなかった。

「もしこれを売るとしたら、なんぼになるん？」

「せやなぁ、三十万やろな。ここに、そんな金を出す人もおらへんし、そんな心配もいらんのやけど。だけどこれはこの先、もっと価値が出る俺のお宝やねん」

「三十万かいな。この先も価値上がるなんてすごいやん」

ジッと徳利を見詰めるご婦人に、

「そればっかり見んと、他の見てって。他のはいくらでも売るで」笑顔で言う金林さん。

「金林さん、三十五万出すから、これ売ってくれへん？」

真顔で言うご婦人に、金林さんは顔を曇らせた。

「そないに言われてもなぁ。これは俺のお宝やし。……でも、三十五万か。新たに商売するのに資金は少しでも欲しいところやしなぁ。でもなぁ」

わざとらしく渋る金林さんに、

「待ってて、今、お金おろして来るわ」と、ご婦人は勢いよくその場を後にした。

「参ったなぁ」

なんて言いつつ笑みを浮かべている金林さん。

勿体つけて売るというのは、彼の常套手段なんだろうか？

そんな彼の元に、ホームズさんがスタスタと歩み寄った。

「お久しぶりです、金林さん」

ホームズさんの姿に、彼は驚いたように目を開いた。

「——あんたは、誠司さんとこの」

って、やっぱりオーナーは顔が広いらしい。

「僕にも『海揚がりの古備前』見せてもらってもいいですか？　もし、状態の良い物でしたら、うちでは五十万出してもいいです」

鋭い眼差しでそう告げたホームズさんに、彼は顔を強張らせた。

「あ、あかん、そんな。元々誰にも売る気はないねん」

慌てて手を伸ばす彼よりも先に、ホームズさんは徳利を手にした。

「…………」

丁寧に眺めて、ニコリと笑みを浮かべた。

「残念ながら、金林さん。これは、偽物ですね」

「な、何を言いがかりを……」

「いえ、言いがかりではありません。いろいろ違う点があるのですが、分かりやすいところでは、ここですね。高台を見てください」とホームズさんは、徳利の底を見せた。

「『海揚がりの古備前』は、すべて蛇《じゃ》の目《め》高台《こうだい》になっているんです。ですが、こちらは、そうはなっていない。ただの備前焼ですね」

「ッ！」言葉を詰まらせる金林さん。

偽物という事実に、ショックを受けているようにも見えた。

……もしかしたら、金林さん自身、自信こそなかったものの本物の古備前かもしれないと思っていたのかもしれない。誰かに古備前と言われて仕入れた可能性もある。

「……わざと偽物を売ろうとしたわけではなさそうですが、これを三十五万で売ってしまったならば、結果的には罪なことだと思います」

「こ、の、クソガキ！」

逆ギレした様子でゆらりと立ち上がり、襲い掛かってきた彼に、

「ホームズさん！」

と私はその場から動けないまま、両手で口を押さえた。

それは一瞬のことだった。

ホームズさんは金林さんの手を取ったかと思うと、次の瞬間には彼は地に倒れていた。

「——えっ？」呆然とする私に、

「幼い頃より、体を丈夫にするために合気道をやらされてまして」

サラリと言うホームズさん。

その時、先ほどのヒゲ面の陶芸家さんが、血相を変えて駆けつけた。

「兄ちゃん、どうした大丈夫か？」

「大丈夫です。彼がちょっと躓《つまず》いただけです」

ホームズさんはそう言って、スッと金林さんの前に手をさしのべた。

「……ふん」

金林さんはその手を取らずに立ち上がり、体に付いた土埃を払って、無言のまま商品をダンボールに詰め始めた。このまま撤退するつもりなんだろう。

「金林さん、あなたは本当に骨董品店に向かない方でしたね。店を閉めて、他の商売をすることにして正解だったと思います」

そんな彼の背中に向かってそう言ったホームズさんに、

「んだとッ？」

怒りの形相で振り返る金林さん。

その怒りはもっともだ。ホームズさんも、どうして火に油を注ぐようなことを……。

ハラハラするような気持ちで見守っていると、ホームズさんは内ポケットから白い手袋を取り出して、スッとはめた。

それは鑑定時や、高価なものを手にする前に、ホームズさんが必ずすることだ。

「本当に驚きましたね」と雑多に置かれた食器たちの中から、赤い茶碗を手にした。

「……ああ、間違いない。いや、驚きました」

茶碗を手に目を細めるホームズさんに、

「なんだよ？」イライラした様子で睨む金林さん。

「これは、川喜田半泥子《かわきたはんでいし》の茶碗、本物です。こんなお宝を手にしながら気付かずに、ただの茶碗として扱っていたなんて」

楽しげに口角を上げるホームズさんに、彼は目を見開いた。

「……川喜田半泥子の茶碗、本物だと？」

「間違いありません。然るべきところに持って行って、鑑定してもらってください。あなたの新たな商売を始める資金になるでしょう」

ホームズさんはそっと茶碗をテーブルの上に置いた。

「って、なんぼくらいのものなんや？」

側で話を聞いていたヒゲ面の陶芸家さんが身を乗り出した。

ナイス、陶芸家さん、それ、私も聞きたかった。

「そうですね。二百万はくだらないと思います」

キッパリと言い放ったホームズさんに、私も陶芸家さんも、何より金林さんも言葉を失い、大きく目を見開いた。

「ほほほほほ、ほんまか？」

「ええ、どうかお大事にしてください」

「わ、分かった、おおきに、おおきに、兄ちゃん」

ホームズさんの手をつかんで、ぶんぶんと握手をする金林さん。

って、態度変わりすぎだろう。

その時、先ほどのご婦人が、「金林さん、お金おろしてきたで。海揚がり、売ってくれへん」と息を切らしながら駆け付けた。

「あー、中本さん、かんにん。これは、どうしても売れへんねん。鑑定書もついてへんし、確証もあらへんさかい。おおきにな」

さすがに偽物とは言えなかったらしく、申し訳なさそうに頭を下げる。

「……ほうか、残念やな」

「今日は在庫処分やし、いっぱいまけるから、好きなの見てって」

にこやかに話す金林さんの姿を見ながら、私たちはそっとその場を後にした。

すると背後でヒゲ面の陶芸家さんが、

「なんや、兄ちゃんの方が『先生』やな」

なんて漏らしていたのが聞こえて、思わず笑ってしまった。

それにしても、さすが、ホームズさん。

相変わらず、すごい鑑定眼だった。

4

なんていうか……。

「嫉妬しちゃうの、分かる気がするなぁ」

歩きながらポツリと漏らした私に、ホームズさんが「ん?」とこちらを見た。

「あ、いえ、なんでもないです」

慌てて肩をすくめた。まさか、店長が息子であるホームズさんに嫉妬心を抱いて、葛藤しているなんて言えない。

「……葵さん、コーヒーを買って、お堂の横で飲みませんか?」

『自家製コーヒー販売中』という手作り看板を指しながら言うホームズさんに、

「あ、はい。いいですね」と頷いた。

ホームズさんはブラックコーヒー、私は砂糖とミルクを入れてもらって、会場から少し離れた、ひと気の少ないお堂の階段に腰を下ろした。

「美味しい」

コーヒーを口に運ぶと、自然と頬が緩む。ホームズさんがそっと私の顔を覗いた。

「……葵さんはもう埼玉に行く交通費が貯まったと思いますが、どうされるんですか？」

静かに尋ねるホームズさんの隣で、私はカップの中のミルクコーヒーに目を落とした。

風が流れ、手づくり市の喧騒が、少し離れたところから聞こえる。

「実は、いざ帰ろうと思うと、ためらってしまって。交通費が貯まったら、絶対に即帰ろうと思っていたのに、ウジウジモジモジと動けない自分が嫌になります」

自嘲的に笑う私に、ホームズさんは小さく息をついた。

「お気持ち、分かりますよ。無理に行動せずに、自然の流れに任せていいと思います」

「……ホームズさん」

やっぱりホームズさんは優しいな――って。

「ホームズさんが、こんな気持ちを分かってくれるなんて意外です」

少し笑って言うと、ホームズさんは苦笑して肩をすくめた。

「本当のことを言いますと、僕が葵さんをバイトに誘ったのは、あなたが良い目を持っていたという理由だけではないんです」

「えっ？」

「実は僕も、あなたと同じ経験をしたことがあるんですよ」

「え、ええ？　どういうことですか？」

「彼女を奪われた経験があるんです。奪った男は親友というわけではないんですが」

「ほ、本当ですか？」信じられない！

「そ、それは、いつ頃の話ですか？」

「……僕が高校生の頃の話です」

ホームズさんは小さく息をついたあと、ゆっくり話し始めた。

「高校三年になったばかりの頃、クラスメイトの女の子に告白してもらえまして、それがキッカケで交際がスタートしました。僕たちはごく普通のカップルで、受験生らしく一緒に勉強したりと楽しい毎日を過ごしました。

ですが今も昔も僕の周りには大人がいっぱいでしてね。『受験生なのに、彼女と男女の仲になんかなったら、それに夢中になって勉強どころじゃなくなるで』なんて、よくからかわれたんですよ――あ、もちろん、僕が一人の時ですが。そんなからかいの言葉を真剣に取り合いはしなかったんですが、でも、一理あるかもしれないとは思ったんです。

受験のために大事な一年間、お互いのために彼女とは深い仲にならないようにしようと僕は勝手に心に誓いました。清貴の名に恥じない、清く貴い交際をしてきたわけです」

「は、はぁ」

――って、その名前のくだりはいるんだろうか？

「僕としては、お互い無事に大学に進学することができたら、カップルとして次のステージに進んでもいいんじゃないかと思っていたんですよね。受験生のうちは、自分たち自身のためにがんばるべきことをがんばろう、と思ったんです」

「……正しいですね」

「ええ、ですが、正しさだけがすべてではなかったんです。大学に入学するなり、彼女は友達の付き合いで合コンに参加しまして。そこで出会った、俺様強引ナニワ男にアッという間に身も心も奪われてしまったんですよ」

「は、はい？」

予想もしなかった展開に、思わず声が裏返ってしまった。

「彼女が言うには、僕が草食すぎて寂しかったり、不安にも思っていた、とのことでした。僕がお互いのためと思っていたことは、ちっとも伝わっていなかったんですよね。僕自身も、彼女がキスよりも先に進みたがっていることには気付いてはいたんですが、寂しさや不安を募らせるまでになっていたことには、気付かなかったんです。

俺様強引ナニワ男は、そんな彼女の心の隙間にグイグイ入りまして、結果的にすべてを奪っていったわけで。僕はもう、ショックと嫉妬と悔しさで、出家して鞍馬《くらま》の山にでも入ろうかと思ったほどでした」

「しゅ、出家して鞍馬の山って！」

「その後、ちょっと荒れてしまって、出家とは真逆の大学生活を一時、送ってしまったりもしたんですが」

「え、ええ？」

「まぁ、それはさておきまして。……そんな過去があるので、葵さんのお気持ちがよく分かるんです」

ニコリと微笑む彼に、胸が詰まった。

驚いた。ホームズさんにも、そんな俗っぽい過去があったなんて。

「ホームズさんも、普通の人間だったんですね」

思わずそんな言葉を漏らした私に、ホームズさんは目を丸くしたあと、プッと笑った。

「なんですか、それは」

「だ、だって、いろいろ人間離れしてますから。実際、すごい鑑定士であるオーナーも、すごい作家さんの店長さんも、ホームズさんに一目置いてますよね？」

店長は、息子であるホームズさんに、嫉妬心を抱くほどだ。

「……葵さんは、父の作品を読まれましたか？」

「えっと、半分くらい」

嫉妬渦巻く感情がリアルで……読み進められずにいる。

「今の葵さんには、厳しいかもしれませんね」

相変わらず、お見通しだ。

「でも、がんばって、最後まで読んでみてください」

「えっ？」

「最後まで読んだ時に、胸の内にたとえようもなく、美しいものが残りますから」

目を伏せ、胸に手を当てて言うホームズさん。

――美しいものが残る。

「剥き出しの感情の果てに、傷ついて動けなくなって、ようやく顔を上げた時に見える光景は、とても美しいものなんだということを教えてくれるんですよ。自分の父親ながら、本当に素晴らしい作家だと思っています」

曇りのない笑みで店長を誉めるホームズさんに、なんだか息が苦しくなった。

「……ホームズさんは、店長さんの胸の内を知っていたりしますか？」

きっと彼なら、自分の父親のこともお見通しなのかもしれない。

そう思いながら、静かに問うた。

「そうですね……父が祖父に激しく憧れて、鑑定士になることを志すも、自分の素質のなさに落胆して夢を諦めたにもかかわらず、息子である僕に『自分にはない素質』を感じて、嫉妬に似た感情を抱いているのは知っています」

サラリと答えるホームズさんに、ギョッとしてしまった。

思った以上にすべてを把握していた！

さすが、ホームズさん。

「あ、すみません、そんな話ではなかったんですか？」

「い、いえ、その話です。……そんな店長さんをどう思いますか？」

聞き難《にく》さを感じながら尋ねると、ホームズさんは少し難しそうな表情を浮かべた。

「どう思う、ですか。そうですね、甘いと思っています」

ピシャリと告げたホームズさんに、

「あ、甘い？」と私は目を剥いた。

「ええ、父は『自分には素質がない』と鑑定士になるのを諦めたんです。それでは鑑定士になる『素質』ってなんでしょうか？ 僕は確かに、人よりも目が利くかもしれません。でも、父と僕が憧れ尊敬する祖父は、元々人よりも目が利いたわけではないんです」

「えっ？ そうなんですか？」

「はい。祖父は十五の時に骨董品店をやっている師匠の元に弟子入りして、たくさんの弟子がいる中、認めてもらおうと懸命に師匠に食らいついて勉強し、心眼を鍛えていったのです。祖父はそれは血が滲むような努力を重ねて、今の国選鑑定士『家頭誠司』になったわけです。

だから父も、祖父のようになりたかったなら、同じくらいの、もしくはそれ以上の努力をすべきだったと思うんです。しかし父はそれほどの努力をすることもなく、『自分には素質がない』と方向転換をしました。すっかり鑑定士への夢を忘れかけた頃、幼い僕に鑑定士の素質を感じて、ショックを受けたわけです」

「は、はぁ」

「父は僕が『生まれつき素質があって、簡単に鑑定できている』と思っているかもしれませんが、そうではありません。僕は事情があって幼稚園などには行かずに、祖父とずっと一緒に行動してきたわけですが……」

その事情は知ってます、と頷いた。

「祖父は僕を仕事場に連れて行く時に、『お前はワシの助手だ。だから邪魔せずに大人しく横におるんだぞ』と言ってくれたんです。それは幼子に発した他愛もない言葉だったかもしれませんが、当時の僕にとっては重い言葉だったんです。僕はみんなが『すごい』と誉め称える鑑定士・家頭誠司の『助手』なんだと。助手として恥ずかしくならないようにと幼いながら必死に勉強しました。

祖父の隣で骨董品を見て、本物と偽物がどう違うのか。その時代の特長、偽物から感じられる共通点。物心ついた頃から、今に至るまで、ずっと勉強を続けています。

しかし、今もなお祖父には追いつけません。それは祖父も勉強を続け、経験を積んでいるからです。どんなに勉強しても終わりがなく、時に、常識がひっくり返ることもある、果てのない世界です。父はこの世界に足を踏み入れることなく、踵を返しました。

そんな彼が僕に嫉妬心を抱いたところで、『甘い』としか思えないんですよ」

強い口調でそう告げたホームズさんに圧倒されて、息を呑んでしまった。

そう、その通りだ。

血の滲むような努力をすることもなく、その才能に嫉妬するなんて、甘いことだ。

「ですが、父の気持ちも分かっているつもりです。だから、父に嫉妬心を抱いてもらえている以上、僕はさらに上を目指してがんばらないと、と思っています」

「……さらに上を目指して？」

「ええ、例えば、甲子園の地区予選でライバルチームに負けてしまった場合、いっそ、そのチームに優勝してもらいたいと思うでしょう？」

「あ、確かにそうかもです」

「僕自身もそれを実感することがありまして」

「実感、ですか？」

「はい、別れた彼女とナニワの俺様強引男ですが、今度、結婚するそうなんですよ」

「え、ええ？」

また、驚いた。まさか、その二人が結婚までいくとは。

「そこまでいってもらえたら、逆に報われた気持ちになりましてね。結婚まで至るほどに強い縁がある二人なら、自分がフラれるのは仕方のないことだって思えた、というのか」

「そ、そうかもですね」

本当に、そんなものかもしれない。

「だから、嫉妬を受けた側は、その人のためにもがんばるべきだと僕は思うんですよね。それに父の場合ですが、彼はその嫉妬心と劣等感を胸に抱いているからこそ、素晴らしい傑作を描くことができる。父はまだ気付いていないかもしれませんが、それが天命だったんだと思います」

「それじゃあ、店長は鑑定士に憧れながらも、作家になる運命だったってことですね」

「そう思います。それに、本当に本気でなりたいものだったら、『素質がない』だなんてそう簡単に引き下がれるものでもないですしね。先ほどの善阿法師の話にも出ましたが、本当に叶えたい願いは、百萬遍唱えるほどに努力したならば、必ず叶うと僕は信じています」

真っ青な空を仰ぎながら告げたホームズさんに、胸が熱くなる気がした。

本当に叶えたい願いは、百萬遍唱えるほどに努力したなら叶う――。

思えば私は、そんな強い思いを持って、彼に会いたいのかな？

私も店長同様、『甘い』だけなのかもしれない。

何もせずに、ただ、悔しいだけなんだから。

膝の上の拳をギュッと握り締めた。

「……ホームズさん、私……埼玉に行くのはやめることにします」

「えっ？」

この言葉は予想外だったのか、珍しく少し驚いたようにこちらを見るホームズさん。

「だ、だって、交通費だけで何万もかかるんですよ？　一生懸命バイトしてもらったお金を、そんなことに使いたくないですもん。か、かわりに、鞍馬の山にハイキングにでも行こうと思います」

アハハと空笑いを見せる私に、ホームズさんは柔らかく目を細めた。

「そうですか。ちょうど、もう少ししたら、叡山《えいざん》電車の青もみじが見頃ですしね」

「あ、そうなんですか？　紅葉と言えば秋のイメージですけど、青もみじを愛《め》でたりもするんですね」

「ええ、清々しい爽やかさですよ。僕も久々に行きたくなりました。良かったら、ご一緒させてもらえませんか？」

ニコリと微笑んで顔を覗くホームズさんに、バクンと鼓動が跳ねた。

「は、はい。一人では寂しいと思っていたので、同行していただけたら嬉しいです」

ど、どうしよう、声が上ずる。

「楽しみですね」

「はははははい、楽しみです」

バクバクと心臓が音を立てる。

「それでは、そろそろ、お昼でも食べに行きましょうか」

すっくと立ち上がったホームズさんに合わせて、私も立ち上がる。

「この辺、飲食店は多いんですが、落ち着けるところは少なくて。葵さん、何を食べたいですか？」

「あ、な、なんでもいいです」

ぎこちなく話しながら、百萬遍知恩寺を後にした、六月十五日。

梅雨の晴れ間の不安定な空は、まるで今の私の心を暗示しているようだった。

第四章　『鞍馬山荘遺品事件簿《くらまさんそういひんじけんぼ》』

1

葉の緑が深くなるこの季節。鞍馬の山に行くと言った私に、

『良かったら、ご一緒させてもらえませんか？』と言ってくれたホームズさん。

その時の、彼の優しい笑顔を思い出すたびに、なんだかキュンとしてしまう。

七月初旬の金曜日の夕方。

学校が終わったあと、寺町三条の骨董品店『蔵』に入り、バイトとして、せっせと大事な商品の埃を取りながら、一人ひそかにドキドキしてしまっていた。

店内には、珍しく店長とホームズさんの二人が揃っている。

ホームズさんは帳簿のチェック、店長は相変わらず原稿にとりかかっていた。

「そうだ、清貴に葵さん」

ペンを止めて顔を上げた店長に、私たちは「はい」と声を揃えた。

「たしかこの前、『七月に入ったら鞍馬にハイキングに行こうと思っている』と話してい

たよね？」

　そう、ハイキングに行くにはバイトのシフトが入りやすい土日のどちらかになるわけで、事前に店長に伝えていたのだ。

「ええ、思えば、もう七月ですね」

　今気が付いたように、卓上カレンダーに目を向けるホームズさん。

　って、私は結構、七月になるのを心待ちにしていたというのに。

「その鞍馬ですが、突然ですまないのだけど、明日、行ってもらえないかな？」

　真剣な表情で告げた店長に、私たちは「えっ？」と目を開いた。

「いや、実は鞍馬に作家仲間の山荘がありましてね」

　店長の言葉に、ホームズさんは「ああ」と頷いた。

「梶原《かじわら》先生ですよね？　たしか三カ月前に亡くなられたとか」

「そう、その梶原先生のご家族が、お前に相談に乗ってもらいたいことがあるそうなんだよ。ハイキングを終えた帰りで構わないから、話を聞きに立ち寄ってもらえないかね」

「……はぁ」気のない返事をするホームズさん。

「葵さんもすまないね。そうだ、お昼は、清貴と一緒に貴船《きぶね》の川床《かわどこ》で食べるといい。私が店の方に連絡しておくから」

　申し訳なく思っているのだろう。店長は、まるで駄目押しのように言った。

「き、貴船の川床、ですか？」

川床といえば鴨川ほとりのテラスを思い浮かべるけど、貴船の川床となると、また別格だ。床の下に清流が流れているという、夏の贅沢の極みとも言えるもの。

テレビの旅番組で紹介されていて、『一度は行ってみたい』とウットリ思っていた場所だ。

まさか、この私がそんなところに行けることになるなんて。

鞍馬に行って、貴船の川床でランチを食べられるなんて、夢みたい！

興奮すら覚えていると、ホームズさんは小さく息をついた。

「分かりました、葵さんも構わない様子ですし、帰りに立ち寄らせていただきますね」

少し気乗りしなさそうに肩をすくめるホームズさん。

「二人とも、せっかくのハイキングなのに、申し訳ないね」

そう言いながらも、ホッとした様子を見せる店長。

店長はふと思い出したように言ってきたけれど、きっとこのことを頼むチャンスを窺っていたのかもしれない。

店長はオーナーと違って、ホームズさんに頼みにくいのかな？

そんなことを思いながら、

「いえいえ、帰りに立ち寄るくらい、全然ですよ」と私は手を振った。

むしろ、私としてはサクッと行けることになって、嬉しいくらいだ。

そして、この時の私はまだ気付いていなかったんだ。

――梶原家山荘にて起こった奇妙なミステリーと、家庭内トラブルに巻き込まれてしまうことに。

2

「――よいしょっと」

翌日、朝九時に出町柳駅《でまちやなぎえき》で、ホームズさんと待ち合わせた私は、約束の時間より少し早くに駅横の駐輪場に自転車をしっかりと停めた。

ちなみに出町柳駅は、例の賀茂川と高野川の合流地点近くの東側にある。

京阪《けいはん》電車（地下鉄）と、叡山《えいざん》電車の乗り場があり、京阪電車でここから大阪まで行くこともできることから、この駅を利用する人も多いようだ。

駐輪場を出て、切符売り場の方に向かうと、すでにホームズさんの姿があった。

「おはようございます、葵さん」

「あ、おはようございます」

「行きましょうか」

スッと切符を差し出してくれるホームズさん。

「すみません、切符まで」

「いえいえ、こちらこそ、うちの都合で急にすみません」

「そんな」

私としては、願ったりかなったりだ。

小さな改札を通ると、二両しかない電車がすぐ目の前に待機していた。

ここからスタートするとはいえ、こんなにすぐ目の前に車両があると、妙に迫力を感じてしまう。

「前の車両に行きましょう。より、山の景色が綺麗に見えますよ」

「はい」なんとなくウキウキするのを感じながら、先頭車両に向かった。

両サイド横一列に椅子がある、都内の電車と同じ形態だ。

とはいえ、たった二両しかない車内はとてもすいていて山奥の田舎の電車を思わせる。

なんだか、すでに遠くに旅行に来た気分になって、ワクワクした。

シートに座って、弾んだ気持ちで車内を見回していると、ひとつだけピンク色でハート形のつり革があることに気が付いて、「えっ?」と目を開いた。

「ホームズさん、あのつり革だけ、ピンクのハート形ですよね?」

驚きながら尋ねた私に、ホームズさんは「ええ」と頷いた。

「叡山電車には、『ハートのつり革付き車両』があるんですよ。なんでも、あれをつかむと幸せになれるというジンクスがある、『幸せのつり革』だそうですよ」

「幸せのつり革！」

「せっかくなので、葵さんもぜひつかんでください」

「え、あ……そうですね。せっかくなので」

気恥ずかしさを感じながらも、そっと立ち上がってピンクのハート形のつり革をギュッとつかんでみた。

その時、電車が走り出したため、すぐにそそくさとシートに腰を下ろす。

「ホ、ホームズさんはいいんですか？」

照れくさいような気持ちを隠すように尋ねると、

「ええ、叡電《えいでん》に乗るのは初めてではないので」

ニッコリ笑って言うホームズさん。

叡電に乗るのは初めてではない。つまりは、過去にあのつり革をつかんだことがあるってことだ。

ホームズさんが一人で来て、あのつり革をつかむ感じもしないし、もしかしたら、例の前の彼女さんと乗って一緒につかんだりしたんだろうか？　それとも違う人と？

前の彼女との確執があったあと、ホームズさんは『出家とは真逆の大学生活』を送ってしまったと言っていたけど、それって女性関係のことなんだよね？

思えば、こんなにイケメンで高学歴なんだから、モテて当然なわけで。

過去の話は聞いたけど、今の時点で彼女はいないんだろうか？

ちょっと聞いてみようか。

『ホームズさんって、彼女はいるんですか？』って。

チラッと隣に座るホームズさんを見てみる。

窓の外を眺めている横顔が、やっぱりカッコイイ。

「……何か、お聞きになりたいことがあるならどうぞ」

サラリと尋ねるホームズさん。

相変わらずの鋭さにドキンと鼓動が跳ねる。

こんな状態で彼女の有無を聞くって、本気で誤解されそう。

「い、いいえ、なんでもないです」

肩をすくめて、私も窓の外に目を向けた。

電車は山道を走り抜ける。広がる田舎の景色は、私が住んでいるところと同じ左京区とは思えない。本当にどこか遠くに旅に来たような感覚だった。

やがて青々とした緑のトンネルに入った。

これが、噂の『青もみじ』だ。

「わあ、本当に綺麗ですね！」

「秋の紅葉とは、また別の味わいですよね」

「はい、爽やかで素敵です」

「鞍馬まで車で行っても構わなかったんですが、電車には電車の味わいがありますよね」

「電車の方が『旅をしている』って感じがしていいです。なんたって……」

失恋旅行ですから。そこまで言いかけて口を閉ざすと、

「そうですね、なんたって『ハイキング』ですからね」と続けてくれたホームズさん。

少し、救われたような気持ちになった。

「……本当に」

小さく笑って、窓の外に目を向ける。

明るい日差しの中、青い紅葉がとても眩しかった。

3

やがて到着した、終点の『鞍馬駅』。そこは、古めかしく、とても小さな駅だった。

「……映画『鉄道員《ぽっぽや》』みたいな駅」

って、あれは、北海道が舞台だったかな? 小さくて古い駅って、どこも共通したものがあるのかもしれない。それでも、鞍馬らしいと思わせてくれたのは、義経《よしつね》と弁慶《べんけい》の絵が

飾られていたこと。

そして駅を出てすぐに、それは大きな天狗《てんぐ》の顔のオブジェがあった。

「すごい、大きな天狗。しかも顔だけなんて」

真っ赤な顔に鋭くギョロリとした目、ビョンと伸びた鼻。

まさしく天狗の山、鞍馬という感じだ。

「ここで記念撮影する方も多いですよ。良かったら撮りましょうか？」

「あ、いえ、結構です」

すぐに断った私に、ホームズさんは意外そうな顔を見せた。

「私、写真に写るの嫌いなんですよ。記念に撮るのは好きなんですけど」

苦笑しながら携帯電話《スマートフォン》を取り出して、天狗の写真を記念にパシャリと撮った。

「それでは、プリクラも嫌いでしたか？」

「そうですね……プリクラは大丈夫です」

「なるほど、写真ではいつも目が細く写ってしまったりするタイプですか？」

ズバリ当てられて顔が赤くなることが分かった。

「ど、どうして分かるんですか？」

「写真が嫌いで、プリクラは大丈夫というと、そういうことかなと思いまして。プリクラは写りを調整できますからね」

楽しげに言うホームズさんに、

「そんなことまで、読み取らなくたっていいですよ」と口を尖らせた。

「すみません。他の方には思っても言わないですけどね」

独り言のように言ったホームズさんに、「えっ？」と動きを止めた。

「葵さん、それではまず、鞍馬寺に行きましょう」

「あ、はい」

駅の隣には、お土産屋が並んでいた。天狗のお面がズラリと並んでいるのが印象的で、『牛若餅』なんてのぼりもある。牛若餅、牛若丸のことだ。まさに鞍馬という感じだ。

少し坂道を歩くと、鞍馬寺の『仁王門《におうもん》』が見える。

色褪せた朱色の楼門は、まさに『山寺』という感じだった。

「この門は、鎌倉時代に活躍した彫刻家・湛慶《たんけい》が作った仁王本尊が祀られていまして、俗界から浄域《じょういき》への結界とされているんですよ」

「ぞ、俗界から浄域への結界。この先は、浄化された場所ってことなんですか？」

「そういうことですね。ここはかなり有名な、世に言う『パワースポット』ですね」

「ええ、それは私も聞いたことがあります」

コクリと頷いて、ホームズさんとともに仁王門をくぐった。

ここからが、浄域だ。なんていうか……。

「確かに空気が違う気がします」

真顔で告げた私に、ホームズさんはプッと笑った。

「あ、自己暗示にかかりやすい人だと思いましたか？」

「思いましたが、でも、良いことだと思います。例えば、この仁王門のうんちくを知らずにくぐるのと、知ってくぐるのと感じ方が違うそうなんです。自己暗示もあると思いますが、昔からのいわれを知って、その地を堪能するというのは、より良いものを受け止められると思います」

本当にそうかもしれない。何も聞かずにこの門をくぐるよりも、『ここから先が浄域』と聞いている方が、ありがたみが増す気もする。

門をくぐって少し歩くと、『鬼一法眼社《きいちほうげんしゃ》』という小さな社が見えた。

「牛若丸に兵法を授けたといわれる、武芸の達人・鬼一法眼が祀られている、と言われています」

「牛若丸って、天狗に鍛えられたって話もありますよね。実際は、この方に教わったんですね」

「ですが、この『鬼一法眼』も架空の人物と言われているんです」

「へっ、そうなんですか？」

「はい。いろんな意味で、源義経という人物はミステリアスですよね」

「本当ですねぇ」と頷いた。

「だけど、この鞍馬山で育ったのは本当だと言われているんですよね？」

ゆっくりと山道を歩きながら尋ねた。

「ええ、牛若丸は源氏の大将・源義朝と愛妾・常盤御前《ときわごぜん》の間に三男として生まれました。義朝が平家に討たれたあと、その子どもたちも殺される可能性が高かったのですが、結果的に清盛の情けを受けて、殺されずに済み、この鞍馬で育つんです」

「どうして、情けをかけてくれてたんですか？」

って、これ、ちゃんと歴史の勉強をしていたら、常識的に分かってなきゃいけないことなんだろうな。なんていうか、年号とかを頭に叩き込んでいても、細かなエピソードなんてうろ覚えだ。情けない女子高生ですみません、本当に。

「一説によると、牛若丸の母である常盤御前が大変な美女で、その美しさを見初めた清盛《きよもり》が、自分の愛妾にと申し出たそうなんです。常盤御前は『子どもたちの命を救ってくれるならば』と条件を出して、それを聞き入れたとか」

「え、ええ？　つまり常盤御前は、子どもを救ってもらうために自分の夫を殺した、つまりは仇《かたき》の大将の愛人になったってことですよね？」

「そういうことですね」

「それに、清盛も結果的に、情けをかけた子どもに討たれちゃったということですよね？」

「そうです、因果なものですよね」

その言葉に、私はハーッと息をついた。

本当に因果なものだ。

「清盛ほどの権力者になれば、周りに美女なんてたくさんいたでしょうに、どうしてわざわざ敵の奥さんだった人を愛人にしちゃったんでしょうねぇ。そんなにも美しかったんでしょうか？」

「そうですね、常盤御前は、千人の美女の中から選ばれた、選りすぐりの美女と言われているんです。日本初のミスコン受賞者なんですよ」

「へっ？　どういうことですか？」

「当時の中宮《ちゅうぐう》……天皇の奥方は、美しいものが大好きで、自分の召使いを雇う時に、より美しい人を選びたいと、京中の美女を千人集めて審査をしまして、最後の一人に選ばれたのが常盤御前なんです。まさに、京中から選ばれた絶世の美女だったわけです。まぁ、どこまでが本当の話か分かりませんがね」

「へ、へぇぇぇ、面白いですねぇ」

「ええ、面白いですよね」

そんな話をしながら、やがて私たちは鞍馬寺に辿り着いた。

山の上にポツンと建つ鞍馬寺は、思ったより質素というのかシンプルな出で立ちだった。

まさに『山寺』なのかもしれない。面白いのは、狛犬ではなくて……。

「虎、なんですね」

「はい、ここは虎なんです」

そして何より目を引いたのは、本殿前の地に描かれていた、大きな六芒星《ろくぼうせい》だ。

六芒星の中心には、三角のマークの石。

「ここがまさに、パワースポットと言われていますよ」

「あ、テレビで観たことがあります！　宇宙からのエネルギーが降り注いでいるって。ちょっと、立ってみます」

ミーハー気分で六芒星の中心、三角の石の上に立った瞬間、右手にビリッと、まるで静電気に触れたような衝撃を感じて――。

「ッ！」慌てて拳を握った。

え、何、今の？

戸惑いの中、そっと六芒星を出て、再び足を踏み入れてみたが、今度は何も感じない。

「どうか、されました？」

「あ、いいえ、なんでも……」

ここで、手がピリッとしたなんて言ったら、なんだか『いかにも』な感じで恥ずかしい。

シンプルな山寺だけど、本当にすごいところなのかも？

「ここで、牛若丸が過ごしたんですよね？」

話題を変えるように寺を見た私に、ホームズさんはコクリと頷いた。

「ええ、こんな山の上で元気に育ったんですから、いろんな意味で人よりもパワフルなのが分かりますよね」

「そうかもですね」クスリと笑う。

千人の中から選ばれた美女から生まれて、そんな母の想いから生き永らえて、この寺で育ち、やがてここから都へと降りていって、五条大橋で弁慶と出会う。

月夜に軽やかに舞うように戦ったという、華奢で身軽な美少年。

どこまでが本当のことかは分からないけど、やっぱり壮大なロマンを感じさせる。

その後、私たちは『木の根道』と呼ばれる道を歩いて、貴船へと向かった。

天気は良いものの、さすがは山の上。

七月上旬とは思えないほどの涼しい風が、とても心地良かった。

まさにハイキング日和だ。

やがて見えてきた、朱色の鳥居が美しい貴船神社。石階段の両端にズラリと列をなして並ぶ赤い灯籠が印象的だった。ここは古くから水の神様として崇められているそうだ。

境内にはたくさんの笹が設置され、色とりどりの短冊がかけられていた。

「そうか、もうすぐ七夕ですもんね」

「お願いごとを書いて、飾ることができるようですよ。書きませんか？」

笑みを浮かべて尋ねるホームズさん。

「そうですね……」

『彼とずっとラブラブでいられますように』

そんな短冊を目にして、咄嗟に顔を背けてしまった。

「今回はやめておきます」

「そうですか、それではお参りしましょうか」

「はい」

そのまま二人で並んで参拝し、ここで有名な『水占《みずうら》みくじ』をすることにした。

水占みくじとは、本殿の右手奥に水占斎庭《みずうらゆにわ》があり、御神水におみくじを浮かべると水の霊力によって文字が浮き出るという、ちょっと変わったおみくじだ。

「こういうのって面白いですよね」

「そうですね」

おみくじの紙を買って、水に浮かべる。

やがてぼんやりと浮かび上がる『大吉』の文字。

「わあ、大吉！　やったぁ」

「僕は中吉です」

「ホームズさんも良かった」

「そうですね」

二人でおみくじを手にクスクスと笑い合った。

「それでは、そろそろランチにしましょうか」

時間を確認しながら言うホームズさんに、

「あ、はい。実はお腹すいてきてたところなんです」

小さく笑って頷いた。

ついに、噂の川床だ。楽しみで胸が弾む。

4

貴船神社を出て、川沿いに山道を少し下る。

すると、川床を実施している料理店がいくつか並んでいるのが見えてきた。

(川床をやっているお店って、結構たくさんあるんだな)

店によって雰囲気もいろいろだ。テーブルに朱色の日傘という、洋風な川床もあったりした。坂道から、川床で食事をしている人たちの姿が見えて、気持ちが高揚してしまう。

「父が贔屓にしている店は、ここなんですよ」

ホームズさんは、老舗を思わせる川床料亭を指し、躊躇《ちゅうちょ》することもなく、そのまま足を踏み入れた。

「いらっしゃいませ」

広い玄関で、深々と頭を下げる、濃紺の着物を纏った仲居さん。

「『伊集院武史』の名前で予約をお願いしているはずなんですが」

そう告げたホームズさんに、仲居さんは微笑んで頷いた。

「はい、伺っております。あなたが先生の息子さん？ よう似てはりますわ」と仲居さんは楽しげに笑い、「こちらにどうぞ」奥へと続く通路の先を歩いた。

通路はそのまま外へとつながっていた。

開放されたままの扉から、サラサラと流れる川、その上に設置された床を見下ろすことができた。

床は朱色の絨毯の上に、い草のラグマットが敷かれている。黒っぽい四角いテーブルに、い草の座布団。天井はすだれで日よけがされていた。

まさに、和の世界、贅沢な納涼。

「……素敵」

感激に立ちつくす私に、仲居さんはクスリと笑って、

「こちらにどうぞ」用意してくれた外用スリッパで、石階段を下りた。

少しヒヤリとした山の風が、ハイキングで火照った肌を心地よく撫でた。

「すごい、本当に涼しい」

驚く私に、仲居さんは頷いた。

「ええ、真夏でもここは二十五度くらいなんですよ。今は二十三度くらいでしょうか。こちらのお席を用意させていただきました」

私たちに用意してくれた席は、上流側の端のテーブルだった。

それは流れる川が間近に見える、一番良い席かもしれない。

さらに上流では作られた段差によって、川が滝となって流れ落ちる様子が見えた。

「ホ、ホームズさん、私、若い身空でこんな贅沢をしちゃっていいんでしょうか」

思わず真顔でそう漏らした私に、ホームズさんと仲居さんは目を丸くしたあと、プッと笑った。

「贅沢には、『良い贅沢』と『悪い贅沢』があると思うんです。たとえ贅沢だと感じても、自分の得た経験を糧とできるならば、それは『良い贅沢』であり、素晴らしい勉強だと思いますよ」

座布団の上に腰を下ろすホームズさん。

「は、はい。社会勉強ってやつですね」

恐縮しながら私も対面に腰を下ろした。

「それに年齢でいえば、僕は祖父のおかげで、物心ついた時から驚くようなところに連れて行かれたり、何億もする高価なものに触れてきていますし」

「たしかにそうですね」

ホームズさんはそれらをすべて『糧』にしてきたんだ。

そうして、今の彼が出来上がったわけなんだ。

妙に納得しながら、一人頷いていた。

すだれの隙間から、柔らかく差し込む光。心地よく吹く涼風。滝の音と、清流の音と、山鳥の鳴き声が響く。

なんだか、日常の嫌なこと全部、流してくれるほど素敵で……。

もし、今後誰かに『貴船の川床ってどんなところ？』って聞かれたら、私はちゃんと答えることができる。それって、ずっと手にしていられる『話のネタ』なわけで。

そう思うと、この贅沢は、多少無理をしてもする価値のあることなのかもしれない。

これまでは『私には分不相応』と躊躇していたところでも、多少無理しても行ってみるのも、素敵なことなのかもしれないと思った。

ウットリと流れる水のせせらぎに耳を傾けていると、やがて運ばれてくる料理。

先付に前菜、お吸物にお刺身の造り、鮎の塩焼。

牛のたたき、季節の天ぷら、湯引きハモ、生湯葉オクラ添え。最後に、白滝そうめん、そして吸物、香の物、ご飯、フルーツ。

どれも美味しくて、目尻が下がる。

ひとつひとつの量は多くはないし、最初は『こんなんでお腹いっぱいになる?』と心配したけれど、すべてを食べ終える頃には、驚くほどお腹がいっぱいになっていた。

でも、これは、絶対に一度に出されていたらお腹いっぱいにはならないよね?

少しずつ絶妙なタイミングで出てくるから、こんなにも満腹感があるんだ。

なんていうか、身体にもとても優しい気がした。

「すごく美味しかった、もうお腹いっぱいです」

それでも、フルーツのメロンを口にする。美味しい、なめらかな舌触り。

「お腹がいっぱいでも、食後のフルーツは格別ですよね」

ニコリ、と微笑むホームズさん。

振る舞いのすべてが上品で、こうした場所がとてもシックリきている。

私なんて終始、場違いな気がしてならなかったのに。

本当に、店長のはからいがなかったら、縁遠いどころか、もしかしたら一生来なかったところかもしれない。

改めて店長に感謝しなきゃ。

「……そういえば、店長さん自身はよくこういうところに来るんですか?」

「そうですね、年に一度は来ているみたいです。このあと、お邪魔する梶原直孝《なおたか》さんという作家仲間が鞍馬に山荘を持っていて、彼とここで食事をすることも多かったようです」

「梶原先生は三カ月前に亡くなられたんですよね？」

「ええ、まだ還暦を迎えたばかりだったんですが、糖尿病を悪化させてしまって」

「……糖尿病」

「はい、九州出身のなかなか豪快な方でして、かなりお酒も飲まれた方だったとか。医師からどんなに注意を受けても、『自分は好きなものを飲み食いする』と言って聞かなかったそうです。ある意味これは『悪い贅沢』なのかもしれませんが、ご本人はもしかしたら納得の上でのことで、幸せだったのかもしれません」

「……はぁ。店長さんとはタイプが違う作家さんだったんですね」

「だからこそ、気が合ったのかもしれませんね」

その時、仲居さんがいそいそと、私たちの元へと歩み寄って来た。

「あの、梶原先生のおうちの方から、お電話が入っております」

その言葉にホームズさんは「あ、はい」と立ち上がり、仲居さんとともにこの場を離れた。

噂をすれば、というやつだ。

きっと、何時くらいになるのか聞きたかったのかな？

それにしても、作家先生が二人、貴船の川床で語り合うなんて、それもまたロマンを感じるなぁ。

川のせせらぎと、木々の葉が風になびく。

私にも創作の才能があれば、何か書きたくなるくらい。

それは無理だから、せめて俳句でも。

「……夏の雨、あつめてはやし……」

ダメだ、これじゃあ、芭蕉のパクリになっちゃう！

そもそも、この川は『あつめてはやし』ってほど、速くないし。

「夏の雨がどうかされました？」

背後でホームズさんの声がして、ビクンと体が跳ねた。

「あ、いえ、なんでもないです、本当に」

「最上川《もがみがわ》ですか？」

「き、聞こえてるんじゃないですか、ひどい！」

真っ赤になって声を上げる私に、

「ちなみに、ここの川は、そのまま『貴船川《きぶねがわ》』っていうんですよ」

笑みを湛えて説明してくれるホームズさん。

くっ、この少し意地悪な余裕の笑み。いけず京男子、健在だ。

「そ、それより、電話はなんだったんですか？」

口を尖らせながら話題を変える。

「あ、すみません。梶原さんがもし良かったら、ここまで迎えに来ると仰ってくださいまして、良かったたでしょうか？　もう少し鞍馬散策をしてから向かうことにしますか？」

「あ、いえ。たっぷりハイキングできましたし、今から梶原さんのところに行くのは構いませんよ」

「では、お返事してきます」と踵を返すホームズさん。

「えっ、まだ電話の途中だったんですか？」

「ええ、葵さんの承諾を得てからと思いまして」

「そ、そんな気を遣わなくても」

そう言いながらも、少し嬉しい。

ホームズさんはどこまでも、紳士だ。

（いじわるだけど）

それにしても、亡くなった作家先生のご家族が、ホームズさんに何を相談したいというんだろう？

遺品に骨董品があって、その鑑定とかなのかな？

それなら、わざわざホームズさんじゃなくても、いい気もするけど。

そんなことを思いながら、冷たい梅ジュースをゴクリと口に運んだ。

5

——それから、数十分。

川床でお茶を飲んだり、流れる川に手をつけて「やっぱり冷たい」なんて言っていると、梶原先生の使いの人が店の前まで迎えに来てくれた。

「梶原の秘書、倉科《くらしな》です」

入口のところで自己紹介をして頭を下げたのは、スーツを纏った四十代と思われるスマートな中年男性。

梶原先生には秘書さんがいるんだ。なんだか、すごい。

「家頭清貴です」

「わ、私は真城葵です」と会釈をすると、彼はニコリと微笑んだ。

「よろしくお願いいたします」

「わざわざ、お迎えまでありがとうございます」

「いえ、こちらこそ、突然不躾なお願いを申し訳ございません。どうぞ、車にお乗りください」

倉科さんはそう言って、店の前に停めているベンツの後部席扉を開けた。

ベンツ！ しかも黒塗り！

「作家さんって、お金持ちなんですね」

圧倒されつつ独り言のように漏らしながら、ホームズさんとともに車に乗り込んだ。

「葵さんは、『権力抗争』という映画をご存知ですか？」

「ええ、名前は知ってます。政治家とかヤクザとかが、グチャグチャにからんだ映画ですよね？」

興味のないジャンルだから観たことはないけど、シリーズ化もされている有名な映画だ。

「梶原先生は、その映画の原作者なんですよ」

「えっ、そうなんですか、すごい」

すると運転席に座る倉科さんがクスリと笑った。

「若いお嬢さんは、あまり観ない映画ですよね」

「す、すみません。お父さんとかは好きで観ていたような気がします」

内容もひどく難しかった気がする。

「梶原先生は、学生運動が盛んだった時の東大生でしてね。卒業後は弁護士になって、時に裏社会を垣間見ることもあり、そうした自身の経験をふんだんに取り入れて執筆したのが『権力抗争』なんです。その作品で新人賞を獲って作品は大ヒット、ドラマ化、映画化と華々しい作家街道を駆け上がったわけです」

いつものように説明してくれるホームズさん。

「清貴さん、お詳しいですね」

「ええ、それは勿論。父と親しくしてくれていた大先生ですから、僕も勝手に自慢に思っていましたので」

極上の笑顔でそんなことを言うホームズさんは、相変わらずソツがない。

「ですが、清貴さん。梶原は『権力抗争』だけの作家ではないですよ。『百花繚乱』とか『禁忌果実』など、美しい作品も手掛けてます」

倉科さんは運転しながら、にこやかにそう言った。

サラリとした物言いながらも、その言葉には熱っぽさが感じられる。

「ええ、梶原先生の禁断モノも人気がありますし、素晴らしいですよね。倉科さん自身、熱狂的な先生のファンなんですね」

「……それは、もちろん。一番のファンかもしれません」

見抜かれてしまったことに気恥ずかしさを感じたのか、倉科さんは少し肩をすくめた。

車は山道を上がっていく。

「……すごい、本当に山の中」

目に眩しいような青もみじ。

この窓から見える山の景色は、もしかしたら大昔から変わらないのかもしれない。

そう思うと、なんだか感慨深さを覚えた。

メインの通りから小道に入ると、やがて、林の中にまさに『山荘』といったウッディな別荘が現れた。

「わぁ、素敵ですね」

「ありがとうございます。ここは、梶原の仕事場だったんです」

「執筆に入ると、ここに籠っていたとか」

確認するように尋ねたホームズさんに、「はい」と倉科さんは頷いた。

「その際には、奥様もわたくしもここに来ていたので、第二邸といったところでしょうか」

「本邸はどちらなんですか？」

「今は四条のマンションです。ご子息が小さい頃は衣笠に家を構えていたのですが、三兄弟とも成長して家を出られてしまったこともありまして、ご夫婦二人だけでは広すぎるということでマンションに」と倉科さんは山荘の前に車を停めた。

私たちもすぐに車を降りる。

緑の香りを含む涼やかな風が吹いていた。

「すごく澄んだ空気」

心地良さに、両手を広げて深呼吸をする。

鞍馬の山の『気』が満ちている気がした。

作家さんが、執筆のためにここに籠るのも分かる気がする。

「どうぞ、中に」

倉科さんが歩き出したその時、玄関の扉が開き、梶原先生の奥様と思われる女性が姿を現した。

「ようこそおいでくださいました。梶原の妻、綾子《あやこ》です」深々と頭を下げた綾子さん。

年齢は五十代くらいだろうか？

ほっそりとしていて、儚げな、まるで女優さんのように綺麗な人だった。

「はじめまして、家頭清貴です。父から綾子さんのことはかねがね伺ってました」

「まぁ、伊集院先生が私のことをなんて？」

「綾子さんにお会いしたあとは必ず、『本当に美しい人で、梶原先生が羨ましい』と何度も」

「まぁ、お上手。それにしても清貴さんは、先生にそっくりで」

クスクスと笑う。その言葉から、彼女が関西人ではないことが分かった。

「今日はデートのところを本当にごめんなさいね」

チラリと私に視線を移した綾子さんに、ギョッとしてしまった。

デデデデートって！

「それで、ご相談と言うのは」

そのことについては触れずに、サラリと話を進めるホームズさん。

って、これならデートを肯定したようなもの？　いや、デートには違いないけど。

「あ、とりあえず、どうぞ入ってください」

大きく扉を開いた彼女に、

「はい、失礼します」

私たちはそのまま、山荘に足を踏み入れた。

山荘のリビングは、昭和レトロな雰囲気。

黒いシャンデリアに、『蔵』にもあるような大きな柱時計。

まるでバーのようなカウンターや、ビリヤード台。ビロードのソファーには三人の男性が座っていて、私たちの姿を見るなり立ち上がった。

「あなたが、伊集院先生の……」

「そして家頭誠司さんのお孫さん」

「今日はようこそ、おいでくださいました」

口々にそう言う彼ら。

多分、梶原先生の息子さんたちなんだろう。

男ばかり。つまり、梶原三兄弟ってわけだ。

三兄弟の年齢は三十代前半、二十代半ば、同じく二十代前半といったところだろうか。

彼らは口には出さないけれど、ホームズさんの若さに少し戸惑っているようにも見えた。

「はじめまして、家頭清貴です」

「ま、真城葵です」と挨拶をした私たちに、

「はじめまして、梶原家長男、冬樹《ふゆき》です」と言ったのは、三十代前半の男性。

一見したところ、青年実業家という感じだ。

「二男の秋人《あきひと》です」二十代半ばの彼は、線が細くて、芸術家っぽい雰囲気。

お母さん似なのか、かなりのイケメンだ。

「三男の春彦《はるひこ》です」

彼は、ホームズさんと同じくらいの年に見える。

ニコニコと優しい雰囲気で、好青年という感じ。

外見的イメージから、長男の冬樹さんが、見たことはないけど、九州男児だったお父さん似で、次男の秋人さんがお母さん似、三男の春彦さんが、両親を足して二で割ったのかな、と勝手に予想した。やっぱり三兄弟だったんだ。

それにしても、名前から生まれた季節が分かる。

作家さんが名付けた割に、安易なような……。

「まぁ、作家は意外と名付けが苦手だったりしますから」

私にしか聞こえないような声で、ポツリと呟いたホームズさんに、身体がビクついた。

って、心を読まないで！　相変わらず怖い！

「どうぞお掛けください」と促され、私たちはビロードのソファーに腰を下ろした。

すぐに用意された、コーヒーに焼菓子。

ミルクと砂糖も用意されていることに、少しホッとした。

「清貴さんは、お父様と同じ京大生だとか」

「ええ、大学院からですが。その前は府大にいました」

ニコリと微笑んだホームズさんに、

「まぁ、府大。うちの春彦が今府大の二年生なんです」

「僕も院から京大に入れるよう、がんばってみようかな」

綾子さんと春彦さんは、嬉しそうに笑った。

春彦さんは、大学二年生。つまり二十歳くらい。

すると、カウンターの椅子に座っていた次男の秋人さんが、肩をすくめた。

「府大も京人も、高卒の俺にとっては、別世界だけどね」

「お前は『役者になる』って、飛び出して行ったからな」

苦笑を浮かべる長男の冬樹さん。

「兄さんが父さんと同じ東大に入ってくれたおかげで、勉強のできない俺は肩身が狭くて。

でも、兄さんが東京に行ってくれたから、俺も上京できたんだけど」

「ったく、人の家に転がり込んで、しばらく寄生してたからな」

なんて話す梶原兄弟。

「夫も表面上は反対しつつ、秋人が本気で役者になりたいなら、手伝ってやってもいいなんて思っていたのに、秋人ときたら『親の七光りで有名になるのは嫌だ』って、作家・梶原直孝の息子であることを隠して役者修行をしていたんです。そんな努力が少しずつ報われて、最近端役ですが、テレビや映画にも出られるようになってきたんですよ」

綾子さんは気恥ずかしそうに、それでも伝えたくて仕方ない、という様子でそう話した。

「たしか綾子さん自身も若い頃、女優志望だったとか。梶原先生とはオーディションを通して知り合われたんですよね？」

コーヒーを口に運びながら言うホームズさんに、綾子さんは小さく頷いた。

「本当に伊集院先生は、なんでも清貴さんに話してるんですね。ええ、才能がなくて女優にはなりきれなかっただけに、息子が夢を継いでくれたようで、嬉しかったです」

綾子さん、店長さんがなんでも話しているわけではなくて、いつの間にかなんでも知っている、というのがホームズさんなんですよ。

話を聞きながら密かに心でそんなことを呟く私。

「それで、今回のご相談というのは」

コトッとコーヒーカップを置いて、ホームズさんは顔を上げた。

『何から話そう』と、少し困った様子で顔を見合わせる、綾子さんと梶原兄弟。

すると秘書の倉科さんが一歩前に出た。

「……それでは、わたくしから説明させていただきますね」

今まで和やかだったリビングに緊張感が走る。

「梶原先生が亡くなった際、彼は弁護士に二通の遺書を託していました。一通はすぐに開封しろというもので、財産分与について書かれた正式な遺書でした。二通目は三カ月後に、この山荘で開封するよう指示されていたんです。

そうして、三日前が先生の死後三カ月目でして。弁護士からこの山荘で遺書を受け取り開封したところ、『三人の息子にそれぞれ、自分の大事にしていた絵を贈りたい』という旨と、金庫のナンバーが書かれていました。そして、金庫の中に掛け軸が三本保管されていたんです」

話を聞きながらゴクリと息を呑んでしまった。

「掛け軸、ですか」ホームズさんは静かに相槌を打った。

やっぱり、ホームズさんにその絵を鑑定してもらいたいってことなんだ。

大作家が息子に残した三本の掛け軸。

それはどれだけの価値のあるものなんだろう？

ちょっとドキドキしてきた。

ホームズさんの隣で、掛け軸が出てくるのを心待ちにしていると、倉科さんは小さく息をついて目を伏せた。

「はい、長男・冬樹さんには平清盛の絵、次男・秋人さんには北斎の富士絵、三男・春彦さんには平忠盛の絵でした。これは、もしかしたらかなりの価値のあるものかもしれないと、すぐに鑑定士を呼んで識《み》てもらったところ、すべては工芸画で、古美術としての価値はさほどないものでした。純粋に、梶原先生が好んでいた絵を息子に贈りたいと思ったのではないか、という話になったんです」

その言葉に、ポカンとしてしまった。

あれ、鑑定はもう済んでいるの？

今回、ホームズさんを呼んだのは、彼に絵の鑑定を依頼したかったんじゃないの？

私が困惑している隣で、ホームズさんは表情も変えずに次の言葉を待っていた。

すると、冬樹さんがハーッと大きくため息をついた。

「その日は『親父からもらった掛け軸をそれぞれ大事にしような』って話しながら、この山荘で兄弟で酒を飲み交わして、幸せな気持ちで眠りについたんです。

……そうしたら翌日、とんでもないことになっていて」

「とんでもないこと？」私とホームズさんの声が揃った。

「その三本の掛け軸、すべてが裏の焼却炉で燃やされていたんです」

悲痛に顔を歪ませて、そう漏らした春彦さんに、

「えっ？」私たちは絶句し、大きく目を見開いた。

「……燃やされた。それはもう跡形もなくなってしまったんですか？」

顔をしかめて尋ねたホームズさんに、倉科さんは首を振った。

「いえ、軸の部分などは残っていますが、肝心の絵の部分は燃えてしまって」

「一体誰が、なんのためにこんなことを」

肩を震わせ、唇を噛んで俯く綾子さんに、秋人さんが大袈裟に肩をすくめた。

「母さん、一体誰がって、この家にいる誰かがやったに決まってるじゃないか」

「そう、あの日はこの山の中の別邸に私たちだけだったんです」

と、冬樹さんがしっかりとホームズさんを見詰めた。

「だけど、兄さん。何度も言うけど、僕たちの中の誰が掛け軸を燃やしたりするわけ？　絵を盗むってならさておき」

ムキになったように声を荒らげる春彦さん。

「燃やしたのはダミーで、盗んでるってこともあるかもな～」

この状況を、少し楽しんでいるかのように笑う秋人さん。

「盗むにしたって、絵自体にそれほどの価値はないと言っていただろう？　売っても数万だって話だ」

「いやいや、絵に価値はなくても、親父が残した秘密が隠されているのかもしれない。隠し財産とかさ」

「ふん、そんなこと言ってお前じゃないのか？　この中で、一番金に困ってるのは、お前だろう？」

「んだと？」立ち上がる冬樹さんと秋人さんに、

「やめて！」と声を上げる綾子さん。

――な、なんだか、すごいことに巻き込まれてる気がする！

そんな中、一人飄々とコーヒーを飲むホームズさん。平静な表情をしながらも、ほんの少し上がっている口角から、どこか面白がっていることが分かる。

「ちょっと、ホームズさん。何を考えているんですか」

小声で肘を突いて窘めると、

「あ、失礼しました。恐ろしいほどによく似ているなと思いまして」

ホームズさんはそっとカップを置いて、顔を上げた。

『恐ろしい程によく似ている？』

誰と誰が？

この三兄弟が似ているってこと？

（内面はよく知らないけど、外見はそれぞれタイプが違う）

それとも亡くなった梶原先生と三兄弟が似てるってこと?

(梶原先生のことをよく知らないから分からない)

綾子さんと秋人さんの顔が似てるってこと?

(確かにこれは相当似てる)

私が小首を傾げる前で、今もワイワイと続いている言い争い。

「――落ち着いてください」

穏やかながらもよく通る声でピシャリと言い放ったホームズさんに、みんなは動きを止めた。

「わざわざ、僕を呼んだということは、警察などには相談されていないということですよね?」

「それはもちろん。どう考えても、この中にやった人間がいるわけですから、警察に相談なんてしませんよ」

強い口調で言う冬樹さんに、私は思わず『なるほど』と頷いてしまった。

犯人は絶対にこの中にいるんだし、警察なんかの世話にはなりたくないよね。

だけど、この不可解な出来事を解決したいと思ったわけで……。

「それで、今回のことを鑑定してくださった柳原さんに相談したところ、伊集院先生の息子さんが、『ホームズ』という異名と心眼を持つ鬼才だ、という話を聞いたんです」

そう続けた春彦さんに、ホームズさんは弱ったように額に手を当てた。

「なるほど、鑑定をされたのは柳原先生でしたか」

「ホームズさんのお知り合いですか？」

「祖父の古い友人ですよ」

「ああ、オーナーの」

いつもの『横のつながり』というやつだ。

ホームズさんは気を取り直したように、みんなに目を向けた。

「……柳原先生が識《み》られたということは、絵の鑑定には間違いはないでしょう」

美術的な価値はないと言った鑑定士の言葉は、信用していいらしい。

「まー、そんなのはどうでもいいけど。俺たちに聞き込みしたりしてさ、掛け軸を燃やした犯人をビシッと当ててよ、『ホームズ』って呼ばれる名探偵さん。俺、シャーロック・ホームズが好きだから、あんたがどれほどのものなのか知りてぇな」

ニッとイジワルな笑みを向ける秋人さん。

彼もイケメンだけど、ちょっと嫌な感じだ。一見チャラい雰囲気だし。

「僕がホームズと呼ばれているのは、苗字が『家頭』だからでして、ご期待に添えるかどうか」

そんな秋人さんに、ニコリと笑みを返すホームズさん。

やはりホームズさんは落ち着いていて大人だ。

「まー、突然こんな相談受けても、お手上げだよな」

それでも挑発的な口調で返した秋人さんに、ギョッとしてしまった。

どうして、秋人さんはこんなに突っかかってくるんだろう？　イケメン同士だし、何か面白くないものを感じるんだろうか？　それとも、本当にシャーロック・ホームズ好きだから、『ホームズ』なんて呼ばれていることが気に喰わないんだろうか？

ハラハラするような気持ちでいると、

「ええ。ですが、犯人の目星はついていますがね。残念ながら確証はありませんが」

余裕の笑みで返したホームズさんに、

「え、ええ？」みんなは仰天の声を上げた。

「ほ、本当ですか？」

これだけの状況説明で、どうして犯人が分かるというのか。

「マジかよ、嘘だろ」露骨に顔をしかめる秋人さんに、

「本当ですか？」

「だ、誰なんですか？」とみんなが身を乗り出す。

「失礼しました。まだ、確証はないので、誰とは言えません。これからしっかりお話を伺いたいと思います」

――って、確証がないのに、こんなことを言っちゃうなんて、ホームズさんもちょっとムキになってたんだ。飄々とした素振りを見せながらも、意外に、負けず嫌いなのかもしれない。

秋人さんは、なんだかホームズさんのことが『嫌いなタイプ』みたいだけど、もしかしたらホームズさんの方もそうなのかも？

「……ええ、ああした、一見チャラめの『俺様強引イケメン男』は好ましくないですね」

私の考えを読んで耳元でサラリと答えたホームズさんに、飲んでいるコーヒーをブッと吹き出しそうになってしまった。

「それでは、一人ずつお話を伺いたいと思います。まず、冬樹さん。改めてお名前とご年齢、ご職業を僕に教えていただけませんか？」

胸の前で指を組み合わせて、冬樹さんを見やる。

「あ、名前から、ですか。分かりました。梶原冬樹、三十二歳。東大経済学部在学中から、ＩＴ関連の仕事を自分ではじめまして、今に至ります」

冬樹さんは、三十二歳。やっぱり三十代前半で合ってたんだ。

「経営者ということですね？　会社名も教えていただけますか？」

「はい、『ウエストジャパン』という会社です」

「株価も上がっている少数精鋭の、評判の良い会社ですね」

「……ありがとうございます」

ホームズさんが、即座に自分の会社の情報を口にしたことに、戸惑った様子だった。

多分、会社名を告げたところで、知らないだろうと思っていたんだろう。

「三カ月前の遺産分配は、納得できる内容でしたか?」

ズバリ尋ねるホームズさんに、私がギョッとしてしまう。

でも、冬樹さんは気にも留めていない様子で、頷いた。

「生前から『三兄弟には同じ額を』と聞かされていた内容とまったく同じだったので、やっぱりなという感じでした。それに親父は金遣いが荒かったんで、そんなに残してなかったんですよね」

「そうですか。冬樹さんは、お父様の遺品の掛け軸を見た時に、どう思われました?率直な感想を聞かせていただけないでしょうか」

しっかりと視線を合わせるホームズさんに、冬樹さんは頭をクシャッとかいた。

「あーいや、親父は清盛が好きだったから、清盛の絵なんだなと、そんな感じにしか……。もらっても、飾るところもないし、どうしようとも思いました」

なんだか、本当に正直な感想という感じだ。きっと、どんな遺品をもらえるのかとワクワクしていた中、特に好みでもない掛け軸だったことにガッカリしたのかもしれない。

「ありがとうございました。それでは、秋人さん、お願いします」

ホームズさんは、カウンター前の椅子に座る秋人さんに視線を移した。

「って、名前知ってるのに、どうしてわざわざ名乗らなきゃいけないんだか。梶原秋人、二十五歳。職業は俳優。所属事務所はａｋカンパニー」

『やれやれ』という様子で肩をすくめながら言う秋人さん。

「ａｋカンパニーは芸能事務所の中でも評判の良いところですね。秋人さんは遺産分配についてどう思われました」

「いや、俺は常日頃、親父に『お前みたいな放蕩《ほうとう》息子に渡す金は一銭もない』って言われてたから、『え、マジで俺の分あったの？』って感じだったけど」

「冬樹さんが言っていたことと違いますね」

「兄貴にどう言ってたのか知らねーけど、俺には『渡さん』って言ってたから、別の意味で驚いたかな」

「掛け軸を見た時はどう思われましたか？」

「あ、単純にすげー嬉しかったかな。北斎好きだし、ニセモノらしいけど」と軽く笑う。

秋人さんって、やっぱりちょっとチャラい。

「分かりました。それでは、春彦さん」

と、すぐに少し素っ気なく視線を移したホームズさんに、

「って、俺はもう終わりかよ」秋人さんが面白くなさそうな声を上げた。

指名された春彦さんは、秋人さんの様子にクスリと笑ったあと、表情を正した。

「梶原春彦、二十歳で、京都府大二年生です」

「春彦さんは、遺産の分配についてはどう思われましたか」

「あー、僕は正直、うちはもっとお金持ちだと思っていたんで、『あれ、そんなものなんだ』って感じてしまいまして。でも、父が浪費家だったのも知っているんで、納得でもあったんですけど」

バツの悪さを隠すようにアハハと笑う春彦さん。

これまた正直な意見という気がした。

「父親のどういう面を見て、浪費家だと思われてました？」

「とても豪快なんですよ。世話になった人なんかを一堂に集めて、ご馳走したり。気分がいいと、馴染みの居酒屋でも『ここは俺のおごりだから、みんな好きなだけ飲んでください！』って、店中にいる知らない人にまでおごったり」

豪快だった父の姿を思い出しているのだろう、春彦さんは少し楽しそうに頬を緩ませる。

彼の様子から、そんな父親を尊敬し、慕っていたことが伝わってきた。

「……春彦さんは三兄弟の末っ子ですが、父である梶原先生に特別厳しくされたとか、逆に甘くされたということはありましたか？」

そんなホームズさんの質問に、

「春彦は、いつも父にとても甘やかされていましたね」

「そうそう、末っ子は得だよな」

春彦さんが答える前に、二人の兄が不服そうな声を上げた。

「僕自身はよく分かっていないんですが、父はいつも優しかったです。兄二人が父によく怒鳴られていたので、そんな様子を見ていて、『自分は怒鳴られないように気を付けよう』と先回りしていたのもあるかもしれませんが」

それは、下の子にありがちな特権のようなものだと思う。私にも中学生になったばかりの弟がいるんだけど、奴は私が親に怒られている姿を見て、要領よく動いているし。

「春彦さんは、掛け軸の絵を見て、どう思われました」

「いやぁ、なんていうか、わけが分からなかったですね」

春彦さんは笑みを浮かべながら、腕を組んだ。

「わけが分からない？」

「だって、兄さんたちのは、パッと見て清盛に富士山と分かって、僕のは誰だか分からない武将の絵で、母さんや兄さんに『これは、なんて武将？』って聞いても、『分からない』って。で、鑑定士の柳原先生が『この武将は平忠盛《たいらのただもり》』だって教えてくれたんです」

そう言って苦笑する春彦さん。

自分の絵に、ちょっとガッカリしている感じが伝わってきてしまった。

「そうですか。あとから伺おうと思っていたんですが、その掛け軸の絵について、改めて皆さんに詳しくお聞きしてもいいですか？　冬樹さんに残されたのは、平清盛の絵ということでしたが、清盛のどのような絵だったのでしょうか」

ホームズさんの質問に、三兄弟は顔を見合わせた。

「そう……ですね。清盛は金色の着物を纏っていまして、真っ赤な太陽に、大きな扇をかざしている姿でした」

思い出しながら口にする冬樹さんに、ホームズさんは「ああ」と口角を上げて頷いた。

「『日招《ひまね》ぎの清盛』の姿でしたか」

「ひまねぎの清盛？」と、みんなの声が揃った。

「歌舞伎に『厳島招檜扇《いつくしままねくひおうぎ》』という演目がありまして、その清盛の姿のことなんです」

すると、綾子さんが「あっ」と声を上げた。

「そういえば、うちの人、歌舞伎好きなんです」

「ええ、うちの父も好きで、たまに梶原先生とも行かれていたみたいで」

「そうでしたね」

ふふふ、と笑い合うホームズさんと綾子さん。

「では、秋人さんの富士絵はどのような感じだったのでしょう」

すぐに話題を戻したホームズさんに、秋人さんは「そうだな」と腕を組んだ。

「全体的に生成りの色合いで、スマートな富士山に、黒い龍が天に昇っている絵で」

「『富士越龍図《えつりゅうず》』ですね、分かりました。それでは改めて、春彦さん」

すぐに向きを変えたホームズさんに、

「な、なんだか、さっきから俺にだけ素っ気なくないか？」

秋人さんは面白くなさそうな声を上げた。

「先に人に突っかかっておきながら、面白い方ですね」

ホームズさんは振り返って、極上の笑みを浮かべた。

その迫力に気圧されたのか、秋人さんはグッと言葉を詰まらせる。

——出た、笑顔のいけず攻撃。

直接的に悪く言うわけではなく、それでも鋭く相手を突き刺す。これぞ、京男子！

よく分からない戦いに、思わず拳を握る私。

「では、春彦さんの絵はどのような感じでしたか？」

すぐに真顔に戻ったホームズさんに、リビングの雰囲気も、再び緊張感のあるものへと変わった。

「あ、はい。僕の掛け軸は、林の中、灯籠《とうろう》を手にした年老いた法師と、武将の姿が描かれた絵でした」

「灯籠を手にした法師……」

その言葉に、ホームズさんは少し黙り込み、

「そうですか、ありがとうございます」

そっと会釈したあと、綾子さんに視線を移した。

「……綾子さんも、改めての自己紹介をお願いできますか？」

自分まで聞かれると思っていなかったのか、綾子さんは少し驚いたように顔を上げた。

「あ、私、ですか？　分かりました。私は梶原綾子……五十三歳です」

年齢のところで語尾が小さくなった。

一瞬見せたためらいは、『年齢を言うの？』って感じだったんだろう。

「綾子さんは、いくつの時にご結婚を？」

「十八歳の時に梶原と知り合い、二十歳で結婚しました」

「梶原先生は七つ年上だったんですね」

「はい」

「今回、梶原先生が三人の息子さんに掛け軸を用意していたことは、ご存知でしたか？」

「いえ、まったく」

「先生は、綾子さんには何か用意されていなかったんですか？」

「私にはなかったです。あ、でも」

綾子さんはスッと左手の薬指にはめている指輪を見せた。

水色の宝石がキラキラと輝いている。

「亡くなる前に、梶原がこれをプレゼントしてくれました。誕生石の指輪です」

「アクアマリン、三月生まれなんですね」

「そうです、清貴さん、お詳しいですね」嬉しそうに指輪に手を触れる綾子さん。

「綾子さんは、三兄弟に贈られた絵を見て、どう思われました？」

「そう、ですね。私はてっきり、その掛け軸それぞれが美術的価値があるものに違いないと思ったのですが、そうじゃないと聞いた時に、少し戸惑いました」

「梶原先生は元々、掛け軸はお好きなんですか？」

「あの人はなんにでも興味を持つので、そのうちのひとつという感じでして。でも、掛け軸はこの山荘にもマンションにも飾ってなかったので、これも少し驚きました」

「分かりました。ありがとうございました」

ホームズさんは会釈して、今度は倉科さんに視線を移した。

「最後に、倉科さん、よろしいでしょうか」

「はい」倉科さんは真摯《しんし》な表情で頷いた。

「倉科洋平《ようへい》、四十二歳です。梶原先生の秘書を務めております」

「倉科さんは、掛け軸の存在について、知っていましたか？」

「いえ、その存在を知っていたのは、二通目の遺書を預かっていた弁護士だけです」

「……なるほど。ところで倉科さんは、どういう経緯で先生の秘書に？」

「恥ずかしながら、わたしは元暴走族で」

苦笑する倉科さんに、「えっ？」と私一人が露骨に驚きの声を上げてしまった。

「ビックリしますよね。今はこんな真面目そうな彼が、元暴走族だったなんて」

クスクス笑う綾子さんに三兄弟。

どうやら、この家の人たちはみんな知っていることらしい。

（多分、ホームズさんも知ってるに違いない）

「十八の時に、やんちゃしすぎた私は警察の厄介になってしまいまして、その時に弁護士だった梶原先生に助けてもらったんです。それで先生に心酔しましてね。なんとか、彼のお役に立ちたいと周りをウロついていたら、『運転手』として雇ってもらえることになりまして。それから二年後に、『お前はなかなか使えるから』と、秘書にしていただけたんです」

にこやかに話す倉科さんに、三兄弟は強く頷いた。

「倉科さんは元暴走族かもしれないですが、頭の回転がすごく速いんですよ」

「学歴がすべてじゃねーって感じだよな」

「何より、父の命の恩人なんです！」

次々に言う三兄弟に、「命の恩人？」初耳だったらしいホームズさんが、目を開いた。

「そうなんです。父が『権力抗争』を書いたあと、モデルとなった暴力団を怒らせたことがありまして。血の気の多い暴力団員の一人がナイフを持って飛び掛かってきたことがあったんです。その時、倉科さんが父の前に立ちはだかって、代わりに刺されてしまったんですよ」

「それは……はじめて聞きました」

ホームズさんは、感心した様子で腕を組んだ。

「いやいや、刺されたと言っても、全治二週間程度のものでして。事件を公にしないことで、その暴力団とも和解ということになったんです。怪我の功名ですね」と笑う倉科さん。

「父は、その恩を感じて倉科さんを運転手から秘書に昇格させたわけなんです。もちろん、彼がキレ者だってこともあってのことですが」

そう話した冬樹さんに、ホームズさんは「そうでしたか」と大きく頷いた。

「では、改めて皆さんにお伺いします。柳原先生に鑑定してもらったのは、いつ頃ですか？」

「弁護士とともに、ここで掛け軸を手にしたあと、すぐに来てもらいました」と冬樹さん。

「柳原先生にここに来ていただいたんですか？」

「はい。迎えに行くと言ったんですが、柳原先生はこの山荘を知っていまして、ドライブついでにとご自分で来てくださいました。鑑定を終えたあと、鞍馬温泉に行くと言っておられました」

「掛け軸を手にしてから燃やされるまでは、約半日でしょうか？　その間、どなたかこの山荘から出られましたか？」

その言葉に、みんなは顔を見合わせた。

「いえ、誰もこの山荘を出てないです」

「そう、買い物とかすべて済ませたあと、ここに来たんで」と声を揃える。

「柳原先生の鑑定を終えたあと、みなさんはここで酒を飲み交わしたんですね。その間、掛け軸はどこに？」

「カウンターの上だよ」

秋人さんがカウンターに手を触れた。

「それで、そのままこのリビングで酔いつぶれてしまったんですか？」

「いえ、酔いつぶれたのは、秋人だけで、他のみんなは寝室に戻りました」

冬樹さんの言葉に、バツが悪そうに頭をかく秋人さん。

「寝る前にリビングを出る時、カウンターには掛け軸はありましたか？」

「あった、と思います。いや、分からないです」

「僕も覚えていないんです」

「私も……」

みんなは首を捻りながらそう言った。

「ちなみに、掛け軸を燃やしたとされる焼却炉は、誰もが扱えるんでしょうか?」

「ええ。元々、父がボツにした原稿を、誰にも見られたくないようにと燃やしていたので」

そう話す冬樹さんに、「なるほど」と頷いたホームズさん。

「しかし、これは……難しいですね」

珍しく苦悩の表情を見せるホームズさんに、ドキンとしてしまった。

『犯人の目星がついている』と言いながら、話を聞いていて分からなくなってしまったんだろうか?　もしかして、ホームズさんは家族ではない秘書の倉科さんを犯人だと思っていて、今の話を聞いて『あれ、違うかも』って思っちゃったとか?

って、ホームズさん、大丈夫?

ハラハラしていると、秋人さんがクスリと笑った。

「やっぱり分からないんだろ?　なんなら黒こげになった掛け軸を見てみるか?　本物とすり替えられているかどうか、検証する振りでもしてみたらどうだよ」

彼はカウンターの上に置かれていた風呂敷の包みをテーブルに置き、開いて見せた。

そこには、軸だけ残して燃えてしまった三本の掛け軸の無残な姿。

「いえ。すり替えは行われていません」

サックリと手をかざして断言したホームズさんに、「はっ?」とみんなの動きが止まった。

「ここにいる者全員が、二通目の遺書の内容、つまり掛け軸という遺品を受け取ることを事前に知らなかった。それは、話しぶりから嘘ではないことが伝わってきました。

つまり、皆さんは同日同時刻に、はじめて遺品が掛け軸だということを知ったんです。

そのあとすぐに柳原先生に鑑定してもらい、翌日に燃えた掛け軸が発見される……。

その間、誰も家を出ていないわけで。ダミーの掛け軸を用意する暇がないんですよ。

また、ここは他の者に気付かれぬよう、コッソリ抜け出してダミーの掛け軸を用意できるような場所でもない」

その言葉に、みんなは納得して頷いた。

「――何より、僕が難しいと言ったのは、犯人の特定ではありません」

ホームズさんはまるで独り言のように漏らして、少し苦しそうに顔を歪ませた。

難しいと言ったのは、犯人の特定ではない？

どういうことなんだろう？

みんな私と同じ気持ちなのか、戸惑ったように無言で顔を見合わせた。

「って、なんだよ、それ。何か分かってるなら話せよ。それとも、ただの負け惜しみか？」

痺れを切らしたように、テーブルに手をついた秋人さんに、

「秋人、来ていただいているお客様に失礼ですよ」

目に余ったのか、綾子さんがピシャリと言い放った。

「……いや、そうかもしれねーけど」

決まり悪くなったのか、急に言葉を濁らせる秋人さん。

するとと冬樹さんが一歩前に出て、頭を下げた。

「清貴さん、秋人が失礼しました。分かったことがあるならば、遠慮なく言っていただけますか？」

「僕からもお願いしたいな。燃やされた掛け軸に、やっぱり隠し財産の秘密が書かれていたりしたとか？」こんな場面なのに、楽しそうに尋ねる、春彦さん。

謎解きゲームのようにしか思ってないのかもしれない。

「……そう、ですね。掛け軸のそれぞれの絵には、隠し財産のありかなどではなく、梶原先生から三人の息子に対してのメッセージが込められていました」

ポツリポツリと話し始めたホームズさん。

口調から、気が進まない、という心情が伝わってくる。

それでも、みんなは次の言葉が聞きたくて、身を乗り出さん勢いで息を呑んだ。

「冬樹さんの『日招ぎの清盛』。これは、大事な式典を前に日が沈みそうになったところ、清盛が『かつて中国の皇帝が九つの日を射った』という故事《こじ》を引き合いにし、自分が、沈みかけている日を再び昇らせてみせようと扇で招く。

すると本当に夕陽が昇り始めて、周囲は太陽すらも動かした清盛の威勢《いせい》に平伏する……これは、その絵を描いたものです。

その演目は、『平氏にあらずんば人にあらず』と呼ばれた時代の、清盛の留まることのない権力と威勢を、ある意味皮肉をもってあらわしたものです。

しかし、そんな清盛の最期はご存知でしょう。

平清盛を好きだったという梶原先生は、勢いよくビジネスで成功していく冬樹さんに、清盛のように類稀なカリスマ性をもって頂点を目指しながらも、また逆に清盛のように決しておごり高ぶらずに間違うなと、そう伝えたかったのだと思います」

静かに話すホームズさんに、冬樹さんの体がぶるりと震えた。

みるみる目が赤くなっていく。

「親父は、いちいち細かく何かを言ってくるタイプの人間じゃなかったんですよ。ビジネスが成功して、確かに自分はちょっとおごってきていたような気がします。大事な想いを込めて贈ってくれた絵なのに、深くも考えずに……バカだな」涙をこらえながら漏らす。

燃えてしまった掛け軸が、残念でならないのだろう。

私も胸が苦しい。

そんな冬樹さんの様子を眺めながら、秋人さんは弱ったようにクシャと髪をかき上げた。

「で、あの、俺のは……？」

言い難《にく》そうに尋ねる秋人さん。

散々、突っかかってきたから、バツが悪いけれど聞きたいのだろう。

「そうですね。秋人さんの『富士越龍図』は北斎が死ぬ三カ月前に描いたものとされています。北斎は数え九十でこの世を去るわけですが、そんな北斎の最期の言葉は『天我をして五年の命を保たしめば、真正の画工となるを得べし』。つまり、あと五年生き永らえることができたら、本物の絵師になれたのに、と。

死ぬ間際にきて、なおも絵を描きたいと、極めたかったと口惜しんだ彼は、本物の芸術家だったのではないでしょうか。

梶原先生は、秋人さんに、『芸の道が本当に好きなら、そのくらいの気持ちで取り組めと。半端な気持ちでいるなと。そして描かれた富士山のように日本一に、天を昇る龍のようにスターになれ』と伝えたかったのではないかと思います。きっと、口にはできなかったものの、あなたのことを応援していたのでしょう」

そう言って、ホームズさんは優しい笑みを見せた。

秋人さんは大きく目を見開いたあと、

「……親父」と体を小刻みに震わせた。

涙を滲ませる姿を見られたくないのか、無言で顔を背けてカウンター席に座った。

「そして、春彦さんの絵ですが……」

ホームズさんがそこまで言いかけた時、

「――やめてッ！」

綾子さんが悲痛な声を上げた。

「えっ？」驚き、振り返る私たち。

「もう、やめて。私が……私が掛け軸を燃やしたのよ。だからもういいでしょう？」

そう声を上げた綾子さんに、私も他のみんなも呆然と目を開いた。

「え、母さん……どうして？」

「わ、私は指輪をもらいはしたけれど、二通目の遺書に私の名前が一回も出ていなくて、腹が立ったのよ！ 掛け軸も安物だっていうし、面白くなくて、酔っぱらった勢いで燃やしたの！」

「そんな、そんなことで？」

ポカンとする春彦さん。

「ええ、そうよ！ だってこんなふうにメッセージがあるだなんて、知らなかったもの！ 私が悪かったわ！ だからもういいでしょう？ 倉科さん、彼らにお礼をして送り届けてあげてちょうだい！」

勢いよく立ち上がりリビングを飛び出した綾子さんに、

「ちょっ、母さん！」「綾子さん！」

春彦さんと倉科さんが慌てて追いかけた。

リビングに残された私と冬樹さん、秋人さんは、放心状態で、綾子さんが飛び出していったドアを見詰めていた。ホームズさんだけが、少し救われたように胸に手を当てた。

「……解決したようですね。帰りましょうか」

アッサリそんなことを言う。

「え、これで、解決なんですか？」

「掛け軸を燃やした人間とその理由が分かりましたから」と立ち上がるホームズさんに、

「待てよ。春彦の絵について聞いていない」

秋人さんが私たちを阻止するように、入口に立ちふさがった。

「……自分からもお願いします。母さんは、あなたに絵の説明をさせるのを拒んだように見えました」と冬樹さんが深く頭を下げた。

ホームズさんは息をついて、

「もしかしたら、聞かなければ良かったと思う内容かもしれませんよ？　何より、綾子さんは望んでいません」静かにそう問うた。

「……構いません」

「ああ、俺たちだけの胸に留める」

しっかりとした目でこちらを見る二人に、ホームズさんは小さく頷いた。

「春彦さんへの絵は、『忠盛灯籠《ただもりとうろう》』という物語です」

「ただもり、とうろう？」

思わずポツリと復唱する私。なんのことかさっぱり分からない。

「白河法皇が愛妾・祇園女御に会うために祇園の町を通っていると、前方に鬼のようなものが見えて、法皇はお供の平忠盛に討ち取るよう命じたんです。しかし、忠盛はその正体を見定めようと生け捕りにしたところ、それは祇園の老僧だったんです。

自分の勘違いで老僧を殺めなくて済んだのです。この忠盛の思慮深い行動に、法皇は大層感謝しました。

ここからは、一説によるとなんですが、この出来事の褒美に、法皇は自分がこよなく寵愛する祇園女御を忠盛に与え、そして生まれたのが清盛だという話です」

ホームズさんがそこまで話すと、リビングがシンと静まり返った。

え……どういうこと？

「祇園女御を忠盛に与え、って、どういうことですか？」

真顔で尋ねた私に、ホームズさんは弱ったように苦笑した。

「……つまり、忠盛と祇園女御が一夜をともにすることを許したんです」

「は、はい？ そ、それで生まれたのが清盛なんですか？」

「史実かどうか分かりませんが、そんな説があるという話です」

し、信じられない。

露骨な言い方をすると、自分の女を、部下に『一晩貸してやった』ってことだよね？

だけど、梶原先生がこの絵を春彦さんに授けたというのは……。

「な、なんだよ、それじゃあ、もしかして春彦は親父の子じゃないっていうのか？　だとしたら、一体誰の子……」

秋人さんはそこまで言いかけて、言葉を詰まらせた。

梶原先生を、命を張って守った倉科さん。それが約二十年前のこと。

もし、倉科さんが人知れず綾子さんに憧れを抱いていたとして、そのことを知っていた梶原先生は、最大の感謝の証に、与えたのかもしれない。

倉科さんに、綾子さんを……。そうして生まれたのが、春彦さん。

梶原先生は、倉科さんの子を自分の子として育てていたってこと？

いろんな意味で、ヒヤリと背筋が寒くなる気がした。

「綾子さんは、どうしても知られたくなかったんでしょう。忠盛の絵を見ても意味が分からずに、きっと調べたんだと思います。そこで真相を知って、気が動転したのかもしれません」

静かに語るホームズさん。私たちは、何も言えずに立ち尽くした。

「こ、ここまで黙っているなら、ずっと秘密のままにしておけばいいのに、どうして親父は忠盛の絵を……」ギュッと拳を握りしめた冬樹さん。

確かにそうだ。自分の死後三カ月に、絵を通して告白なんて。

ちょっと無責任な気がする。

「これは僕の勝手な憶測ですが、春彦さんが二十歳の誕生日を迎えたのは、最近なのではないでしょうか？」

その言葉に、冬樹さんと秋人さんは「あ、ああ」と頷いた。

「二週間前が春彦の誕生日でした」

「事実を知らせるのは、二十歳すぎてからと決めていたからこその、『三カ月』だったのではないかと思います。ただ、僕から見ても、今の春彦さんにはちょっと早い気もしましたね。綾子さんもそれを肌で感じたのでしょう」

ホームズさんは苦い表情を浮かべた。

そうか、それで『難しい』って言っていたんだ！

「僕としても今日のところはいったん下がって、後日、冬樹さんにお話しできたらと思っていたんです」

「って、俺には？」

横で声を上げる秋人さん。それはスルーしていた。

「……伝えてくださってありがとうございます。この件は、どうしたら良いでしょうか」

冬樹さんは、沈痛の眼差しを見せた。

「あなたから見て『今なら大丈夫』と思えるほどに春彦さんが成長した時に、伝えてあげてください。ただ、秘密を墓まで持っていくようなことだけはしないように」

念を押すように告げるホームズさんに、

「どうして、ずっと秘密じゃダメなんだよ？」

秋人さんが、眉根を寄せながら、小首を傾げた。

私も同じように思う。こんなの、ずっと秘密だっていいような気がする。

「先祖をないがしろにすると、必ず家が荒れます。春彦さんは梶原家にいながら、倉科の血を引く人間。それを認識することが必要なんです」

その言葉に、得体の知れない重みを感じて、私たちはまた息を呑んだ。

「それでは、帰りましょうか、葵さん」

視線を合わせて来たホームズさんに、「あ、はい」と戸惑いながらも頷く。

「俺が送るよ。家はどこだ？」

車の鍵を手に、そう言う秋人さん。

「ありがとうございます。鞍馬駅までで大丈夫です」

「駅までで？」とリビングを出る。

「あ、清貴さん、お礼を」

封筒を手に駆け寄る冬樹さんに、

「いえいえ、そんな結構ですよ」

「そう言わずに。歌舞伎座のチケットなんです」

「……それは、ありがとうございます」

両手で受け取るホームズさんに、歌舞伎のチケットなら受け取るんかい！　と心で突っ込んでしまった。

6

山荘を出ると、眩しいような夕日が西の空を彩っていた。

そうか、もう日暮れなんだ。長かったのか、短かったのか。

「しかし、母さんは大丈夫かな」

山荘を出ると、冬樹さんは心配そうに首を伸ばした。

「倉科さんが追いかけましたから、大丈夫でしょう」

ホームズさんは車の前まで来て、振り返った。

「そうだ、時を見てこのことも綾子さんに伝えてください。梶原先生が贈ったアクアマリンの指輪。あれは誕生石だからというだけではなく、石言葉に想いを乗せていますと」

「石言葉、ですか？」

ポカンとする冬樹さんに、ホームズさんは頷いた。

「花言葉があるように、石言葉もあるんです」

「それは知ってますが。アクアマリンの石言葉はなんなんですか？」

「アクアマリンは、そうですね。沈着、聡明などのほかに、『自由』という意味もあります」

――自由。

そうか、梶原先生は、自分の死後、綾子さんに第二の人生を歩んでほしかったんだ。

今度こそ、本当の意味で綾子さんを倉科さんに託せると思ったのかもしれない。

私と冬樹さんが絶句する横で、秋人さんが大きく息をついた。

「……なんか、すげーな」

「えっ？」

「認めるよ、あんたは『ホームズ』だ」

ニッと笑って、後部席のドアを開けた。

「どうぞ、ホームズさん」

嫌味なほどの笑顔で胸に手を当てる秋人さんに、

「ありがとうございます」

同じく極上の笑顔で車に乗り込むホームズさん。

相変わらずよく分からない戦いだけど、タイプの違うイケメンの競演は、なかなか美味しい。

なんてことを思いながら、私も車に乗り込んだ。

「清貴さん、このたびは本当にありがとうございました。いろいろとお恥ずかしいところをお見せして申し訳ないです。後日改めてお礼に伺わせてください」

車の外で頭を下げる冬樹さんに、ホームズさんは「いえいえ」と首を振った。

「お礼なんていりませんので、気軽に遊びに来てください」

「ありがとうございます」

再び頭を下げた冬樹さんに、私たちも会釈をした。

「そんじゃー、行くか」

秋人さんは、ハンドルを切って車を発進させた。

小道を走り、公道に出る。

「しかし、マジですごいな、あんた」

運転しながら独り言のように漏らす秋人さんに、思わず笑いそうになった。

「いえ、そんなことは」

「一体、いつから真相が分かってたんだ？」

あ、それ、私も聞きたかった。

「そうですね、初めて春彦さんを見た時から、倉科さんと親子だと分かってしまいました」

サラリと言うホームズさんに、ゴホゴホとむせる私と秋人さん。

「マ、マジかよ？」

「ほ、本当ですよ、どうしてですか？」

仰天する私たちに、

「だって、あまりにもそっくりなんで」当たり前のように言うホームズさん。

「ええ？　どこがそんなにそっくりですか？」

「耳です」

「み、耳ぃ？」私と秋人さんの声が裏返った。

「ええ、倉科さんと春彦さんの耳の形がまるで同じだったので。耳の形が似るというのは、親子以外にありえませんから。『ああ、二人は親子なんだな。もしかしたら、綾子さんと倉科さんは不倫関係にあったのかな』と勝手に思ってました」

「ちょ、爽やかな笑顔の裏で、そんなことを思っていたんですか？」

「はい、何か問題が？」

サラリと言うホームズさんに、ゾクッとしてしまう。

「って、やっぱり、怖すぎです」と声を上げると、秋人さん「ぶっ」と吹き出した。

「や、なんか、いけ好かねー高学歴野郎だと思ってたけど、なんだか面白ぇな、あんた」

「あなたもいけ好かないタイプの人間ですが、なかなか面白い方ですね」

すぐに返すホームズさんに、

「いけ好かないって」秋人さんは言葉を詰まらせた。

「……自分も言った言葉なのに、言われたからって凹まないでください」

呆れたように言うホームズさんに、秋人さんは口を尖らせ、その姿に我慢できずに笑ってしまった。

「……そういや、今日二人はデートだったんだろ？ 悪いな、うちの厄介ごとに巻き込んで」

思い出したように言う秋人さんに、頬が熱くなった。
デ、デートって。
「そうですね、今度は頂いたチケットで歌舞伎でも観に行きましょうか、葵さん」

優しい笑みを向けるホームズさんに、「は、はい！」と私は強く頷いた。

「って、なんだよ、後ろで楽しそうに。早く送り届けてぇ」

なんてボヤく秋人さんに、また笑ってしまう。

笑い声が響く中、車は鞍馬の山道を駆け抜けた。

それは眩しい西日が、青もみじを赤く照らした、夏の夕暮れだった。

第五章　『祭りのあとに』

1

町を歩いていると♪コンチキチン、コンチキチン♪という軽快なリズムが流れている。祇園祭のお囃子を流して、来る祭りに向けて気分を高めているような感じだ。

ちなみにコンチキチンというのは、祇園祭のお囃子を伝える代表的な擬音なのだけど、実のところ私の耳には『コンチキチン』とは聞こえていない。

どちらかと言うと『ぴょーひょーコンコンカンカンカン』。

このリズムの一体どこがコンチキチンなんだろう？　と正直思っているけれど、祇園祭のお囃子は『コンチキチン』とみんなが言っているので、『コンチキチン』でいいのかもしれない。

祇園祭と言えば京都三大祭の中でも、もっとも有名なもの。京の町は夏の大イベントを前に、どこか浮かれていた。

私も少なからず祇園祭を楽しみにしていたけれど……今は少し違う。

突然届いた一通のメールに、心が乱されていた。

ふぅ、と息をついて、すでに建ちはじめている、山鉾《やまぼこ》を眺める。

ちなみに山鉾というのは、山車《だし》のひとつ。山形の台の上に鉾・なぎなたなどを立てているもの。祭り本番になると、たくさんの山鉾が町を巡行するわけだ。

毎年訪れるたくさんの観光客。どうせ京都に来るならば、桜の時期か紅葉の時期、はたまた祇園祭に合わせようと思うのは自然なことかもしれない。

また、小さく息をついて、いつものように寺町三条にある『蔵』に足を踏み入れた。

カランとドアベルが店内に響く。と、同時に、

「おー、葵ちゃん、こんにちは」

カフェスペースに、ニコニコ笑って手を上げているイケメンと、その隣で嬉しそうに頬を緩ませている美恵子さんの姿。

そのイケメンは――。

「秋人さん？」

そう、十日くらい前に鞍馬の山荘で出会った梶原家の次男で俳優の秋人さんだった。

「ど、どうしたんですか？」

「清貴ちゃんに会いに来たんやて。まあ、清貴ちゃんもイケメンやけど、秋人さんも男前

やなぁ。俳優さんやて、驚いたわ」なんて興奮気味に話す美恵子さん。

美恵子さんが色めき立つのも分かる、秋人さんはたしかにイケメンだ。

ちょっと、いや、だいぶチャラい感じだけど。

にしても、彼はもう二十五だというのに、こんなにチャラいって。

ホームズさんの方がずっとずっと落ち着いてるし。

「改めて、一家を代表してお礼に来たんだ。本当はもっと早くに来たかったんだけど」

テーブルには大きな菓子折りの箱が置かれていた。

「ところで、そのホームズさんは？」

店内をキョロキョロと見回した時、

「コーヒーの用意をしていました」とホームズさんが裏の給湯室から出て来た。

「ッ！」

濃紺の浴衣姿に、驚いて息を呑んだ。

ホームズさんの浴衣姿、すごく素敵！

艶のある黒髪に、綺麗なうなじ。いつもの好青年ぶりに、色っぽさも加わっている。

ど、どうしよう、ドキドキする。

「葵さんのカフェオレもすぐに用意しますね」

ニコリと微笑むホームズさんに、ズキュンと打ち抜かれる。

何も言えずに立ちつくす私に、ホームズさんは小首を傾げた。

「どうかされました？」

「あ、いえ、浴衣に驚いて」

「ああ、オーナーの言いつけでしてね。十日から祇園祭が終わるまでは、店で浴衣を着るようにと。それが京都で商売する者の心意気だと。だから父も店に出る時は浴衣を着るんですよ」クスリと笑うホームズさん。

なるほど。オーナー、ナイス！

「せやせや。私が来たのも、オーナーに頼まれてん。あんたにって」

美恵子さんは思い出したように、紙袋を私に差し出した。

「これは……なんですか？」

「『可愛いバイトさんに浴衣を用意してくれ』って、オーナーが。あんたも期間中は着るんやで」なんてイタズラな笑みを見せる美恵子さん。

「えっ、私に浴衣を？」

「そうやで。うちの店に置いてある浴衣や」

そう、美恵子さんは同じアーケード内にある婦人服店のオーナーだ。

「今時の若い子やから自分で上手く着れへんやろうし、あんたの身長に合わせて、子ども用浴衣みたいに丈を合わせたったわ。まず、自分で着てみ。帯は後々結び方を教えたるけど、今回はとりあえずワンタッチのも用意したったで」

勢いよく紙袋を差し出す美恵子さん、戸惑いながら受け取った。

「は、はぁ、ありがとうございます。それでは」

圧倒されながら紙袋を受け取り、いつも利用している給湯室奥の着替え場に移動した。

「葵ちゃんの浴衣姿を見られるなんて、いい時に来たなぁ」

なんて秋人さんの露骨な声が聞こえて、気恥ずかしくなる。

あんなことをサラリと言えちゃうのがすごい。

また、彼のああした部分がホームズさんは気に食わないんだろうな。

不愉快そうに眉をひそめるホームズさんの顔が目に浮かんで、頬が緩んだ。

よし、着てみよう。

浴衣は、埼玉にいた時、友達同士で着たことがあるから、なんとかなるかもしれない。

そう思いながら、紙袋から浴衣を取り出した。

「……わぁ、可愛い」白地に真っ赤な撫子《なでしこ》が咲いた、清楚かつ華やかなデザイン。

知らなかった、美恵子さんってセンスがいいんだ。お洋服屋さんだもんね。

ええと、着物は右前だったよね。と、浴衣を羽織る。

美恵子さんが丈を合わせてくれていたこともあって、思ったよりも簡単に着ることができた。

簡易の帯をつけて、整えて、

「き、着ました」と奥からコソコソと顔を出した。

「わあ、かわええやん――って、あんたそれじゃあ、お化けやわ」

私の姿を見るなり、すかさずそう言った美恵子さんに、

「へっ？　お化け？」と目を開いた。

「葵さん、浴衣の合わせが逆なんですよ」

クスクス笑うホームズさんに、頬が熱くなってしまった。

「や、やだ、私ったら。で、でも、着物って右前だって」

だから右が前にくるようにしたのに。

「葵さん、右前というのは、自分から見て右が内側にくることを言うんですよ」

優しく教えてくれるホームズさんに、秋人さんも「そうそう」と頷きながら立ち上がり、
そっと私の背後に回った。

「もっと分かりやすく言うとね、男が後ろから抱き着いて、その右手がスッと胸元にスムーズに入る形が正解なんだ」

私の両肩を抱くようにして、背後から顔を覗く秋人さん。

「え、あ……」

「着物っていやらしくできてるよね」

ニッと意味深に笑う秋人さんに、頬が熱くなる。

か、顔が、秋人さんの顔が近い。って、秋人さん、やっぱりチャラい！

「すみませんが、うちの店でセクハラ行為はやめていただけませんか？」

するとすかさずホームズさんが秋人さんの手首をつかんで、捻り上げた。

「いたいたいたいたいたい！　わ、分かった、分かったよ」

と秋人さんは逃げるようにホームズさんから離れて、捻り上げられた手首をさすった。

「あはは、そら、秋人さん、あかんわ。ほら、葵ちゃん、着物直してき。お化けのままじゃ台無しやで」笑いながら言う美恵子さんに、

「あ、はい」そそくさと再び裏に入った。

も、もう、秋人さんは、困った人だな。

でも、おかげで着物の合わせ方は、これでばっちりインプットされたかも。

『男の人が後ろから抱き着いた時に、その右手がすんなり胸元に入る』合わせ方。

好きな人に背後からギュッと抱き締められて、そのまま彼の右手がスッと胸元に……。

ふと、ホームズさんの顔が浮かんだ。

あ、あわわわ、何考えてる、私！　と頭を振って、浴衣を正した。

「ったく、ホームズ君はヤキモチ妬きなんだなぁ」

楽しそうな秋人さんの声が聞こえてきて、ドキンとした。

え……ヤ、ヤキモチ？

「うちの大事なバイトさんにセクハラ行為をしたんですから、当然でしょう」

「バイトって、葵ちゃんとホームズって、付き合ってるんじゃないのか？」

「ええ、彼女はうちにバイトに来てくれている学生さんです」

サラリと答えるホームズさんに、どうしてなのか、ほんの少し胸が痛んだ。

いや、その通りなんだけどね。

「ふーん。それはそうと、やっぱ浴衣っていいな。俺も浴衣着たくなった。そして女の子に後ろから胸元に手を入れられたい」

「自分の手を突っ込んでおいたらどうですか」

「って、やっぱり怒ってるよな？」

焦ったような声を上げる秋人さんに、人知れず笑みが零れる。

確かに、ホームズさんの切れ味が、いつもより鋭い。

秋人さん、ご愁傷様。そもそも、ホームズさんは、秋人さんみたいなチャラい『俺様強引イケメン男』が好きじゃないんだもんね。昔の彼女を寝取った人と同じタイプだから。

今もそういうタイプを嫌っているってことは、本当は前の彼女に気持ちを残していたりするんだろうか？

キュウッと、胸がほんの少し締め付けられる。

って、一体なんなの？

気を取り直して、「着直しました」と裏から出ると、みんなは「わあ」と声を上げた。

「改めて、ええやん」

「うん、かっわいー、葵ちゃん」

手放しで誉めてくれる美恵子さんと秋人さん。

ホームズさんは、どう思ってくれているのかな？

そっと、ホームズさんの方に顔を向ける。

「とても可愛いですね、よくお似合いです」

視線が合うなり、ホームズさんはニッコリと微笑んだ。

「あ、ありがとうございます」

ひゃー、頬が熱い。

「ええやんええやん。さっきはお化けやったけど、着方も上手やね。安心したところで、私はそろそろ店に戻らな。他にも何着か用意しとくから、期間中は浴衣でがんばるんやで」

美恵子さんはコーヒーをグイッと飲み、慌ただしく店を出て行った。

豆台風のような美恵子さんが出て行ったあと、

「いやー、なんだか、元気なオバちゃんだね」

秋人さんが楽しげに笑った。

「彼女は同じ商店街で婦人服店を経営するオーナーで、うちの祖父の古い友人なんです」

コトンと、ホームズさんは、私用に淹れてくれたカフェオレをテーブルに置いた。

「秋人さんが『緑寿庵清水《りょくじゅあんしみず》の金平糖《こんぺいとう》』を持って来てくれたことですし、お茶にしましょうか」

「緑寿庵清水の金平糖？」小首を傾げる私に、

「あれ、葵ちゃん、知らない？ 京都で有名な高級金平糖だよ」

秋人さんは、少し得意げな笑みを浮かべた。

「緑寿庵清水は左京区にある金平糖専門店でして、一八四七年の創業当時から、一五〇年以上もの間、伝統の製法を守り続けている老舗なんです。『皇室御用達《こうしつごようたし》』の、まさに高級金平糖ですね。いろいろな味があるんですが、どれもとても美味しく、上品な味わいなんですよ」と嬉しそうに話すホームズさんに、

「ったく、これだから高学歴な男は」チッと舌打ちする秋人さん。

「金平糖の話に学歴は関係ないですよ。秋人さんの勝手な学歴コンプレックスを僕にぶつけないでいただけますか？」

「が、学歴コンプレックスなんてねーし」

ムキになって声を上げる秋人さんに、ホームズさんはニッコリと笑った。

「それは失礼いたしました。そうですよね、芸能の道を選び進んだのですから、それを極

めれば良いこと。もし、ほんのかすかにそうしたコンプレックスがあるなら、それをも糧にできるのが芸の道だと思いますし」

その笑顔と言葉に気圧されたのか、秋人さんは一瞬、言葉を詰まらせた。

「お、おう、そうだよ。俺は親父が残してくれた言葉を胸に、すげー俳優になるから」

作家・梶原先生が、秋人さんに残した、北斎の『富士越龍図』。

芸の道が本当に好きならば、極めてほしいという想いが込められたもの。

「……あのあと、綾子さんは大丈夫だったのでしょうか？」

静かに尋ねたホームズさん。

そう、あの日、梶原家の遺品についての説明途中で、山荘を飛び出した綾子さん。

私たちはそのまま帰って来てしまったんだ。

私も気になっていたけど、ホームズさんも気がかりだったようだ。

「ああ、俺があんたらを駅に送って山荘に戻ったら、もう母さんはリビングにいたよ。で、そのあと、兄さんが母さんと二人きりで話したんだ。

親父が贈ったアクアマリンの指輪に込めた想いを聞いた時、母さん、泣き崩れたって。ずっと罪悪感を抱えて生きてきたのかもしれないな」

ポツリポツリと話す秋人さんに、私たちは何も言わずに小さく頷いた。

「うちの両親って、すげえ仲が良かったんだ。母さんなんて、俺たちの目から見ても『理想の妻』に見えたし、親父もそんな母さんを大切にしてたし。でも、なんつーか、お互いの罪悪感がそうさせていたのかなって思ったら、ちょっと複雑な気分にはなったけど」

ふぅ、と息をつく、秋人さん。

……確かに、それは複雑かもしれない。

「それは、夫婦の問題であって、秋人さんが背負うことじゃないですよ。子どもの目から見て、幸せそうに映ったその姿は、決して偽りではないと思います」

優しく言うホームズさんに、秋人さんはまた言葉を詰まらせたあと、ゴンッとテーブルに突っ伏した。

「……って、ホームズ、君、いくつだっけ」

「二十二歳ですが？」

「俺も、もう少しシッカリしないと……」

突っ伏したままそう漏らす秋人さんに、それはたしかに……、なんて思ってしまった私。

（さすがに失礼か、それは）

その後、秋人さんが持って来てくれた高級金平糖を美味しく頂きながら、他愛もない話に花を咲かせた。

「そういえば、秋人さんは今、関東にお住まいなんですよね？　こちらにしばらくおられるんですか？」

「ああ、こっちで仕事があって。ちょうど祇園祭も始まるし、今年はゆっくり観ていこうかな」

「それはいいですね。ぜひ観ていってください」

まるで観光大使のように、嬉しそうに目を細めるホームズさん。

「祇園祭かぁ……。私の学校のクラスメイトたちは、みんな『行かない』って。混みすぎていて嫌だって言ってました。そのくせ、出町柳商店街のお祭りには、みんな喜んで行ってましたけど」

そう話した私に、秋人さんがアハハと笑った。

「あー、分かるな。地元の人間ってそんなものだよなぁ。俺もガッツリ京都に住んでた頃、祇園祭なんてわざわざ行こうとしなかったし」

「そういうものかもしれませんが、僕としては一度でいいですから、しっかり各町の山鉾を観てもらいたいですね。『動く美術館』と呼ばれているくらいですから」

ホームズさんはいつもの笑顔で、それでも強い口調で告げた。、

「動く美術館？」思わず、私と秋人さんの声が揃った。

「ええ、祇園祭は約千年以上前からはじまった、町を災厄から守り、清めるために山鉾を巡行するというお祭りなんですが……」

ホームズさんは背後の本棚から分厚い本を取り出して、私たちに見えるようにテーブル

の上に置き、ペラリと開いた。

そこには、最近よく見かける祇園祭の『山鉾』の写真。

「この祇園祭の山鉾は、千年の昔から三十三の町内会が、それぞれ大切に保管してきました。その山鉾は一見同じようですが、すべて違っているんです。これを見てください」

ホームズさんが指した写真は『山伏山《やまぶしやま》』に『太子山《たいしやま》』という名の山鉾。

側面を飾る壁掛けが、どう見ても日本のものには見えない。

「あ、これ、なんだか中国っぽい」

「ああ、こっちはインドっぽいな」

写真を眺めながらポツリと漏らした私と秋人さんに、ホームズさんは「はい」と頷いた。

「こちらは中国明朝から渡ってきた壁掛けで、こちらの山鉾はインドから来たものです。そして非常に興味深いのが、鯉山《こいやま》と呼ばれる山鉾なんですが」

指した写真には、どこから見てもヨーロッパのタペストリー。

王冠をかぶった王の絵が描かれている。

「これって、ヨーロッパのものなんですか？」

「祇園祭なのに？」驚きの声を上げる私と秋人さんに、コクリと頷くホームズさん。

「これは、十七世紀はじめのブリュッセル・ブラバント……つまりベルギーで作られたものです。図柄はホーマー作『イーリアス』物語の一場面で、トロイのプリアモス王とその后へカベーを描いたものですね。その昔、ヨーロッパから日本に渡ってきて、祇園祭で使われるようになり、今も活躍しているわけなんです」

「えっ、でも、この時代って、たしか鎖国してましたよね？」

「はい、ですが、ヨーロッパで唯一オランダとは貿易をしていましたので、これはオランダから渡ってきたのではと言われています」

「って、そういや、どうして、オランダだけ貿易が許されたんだ？」

祇園祭の話だというのに、明らかにあさってなことを聞く秋人さん。

それは、ごく普通に歴史の話であって。

でも……しかし、情けないけど、私も同じことを思ってしまった。

思えばどうしてオランダだけOKだったんだろ？

「本当にザックリ言ってしまうと、キリスト教を持ち込まなかったからです」

という本当にザックリすぎるホームズさんの答えが、分かりやすすぎて、

「なるほど」二人で力強く頷いてしまった。

「『月鉾《つきぼこ》』に飾られているのは、ムガール王朝の絨毯で、メトロポリタン美術館の要請があって、一時期メトロポリタン美術館に展示されていたことがあるんですよ」

「メトロポリタン美術館に！」

「そして先頭の『長刀鉾』に飾られている絨毯は、明らかにはなっていないんですが、『モ

ンゴル帝国』から渡ってきたのではと言われ、今や世界のどこにも同じものがないそうなんです」

　と、側面を飾る茶色のカーペットを指して言うホームズさん。

「山伏山のブリュッセル・ブラバントのタペストリーといい、ムガール王朝の絨毯といい、これほど良い状態で残っていることは奇跡に近いんです。それは千年もの昔から、それぞれの町内会がとても大切に保管し、祭りの時に披露してきたからなんです。

　僕たちはメトロポリタン美術館に要請されるような、素晴らしく価値のある歴史的美術品を祭りで見ることができるんですよ。祇園祭は奇跡の祭りと言っても過言ではないんです」

　強い眼差しでそう告げたホームズさんに、圧倒されてしまった。

　それは……確かに、『動く美術館』と言われるわけだ。

　奇跡の祭り。そんなにすごいお祭りだったんだ。

「こうしたことを踏まえた上で、祭りに参加すると味わいもまた違うと思いますし、せっかく観に行けるところに住んでいるなら、一度はしっかり観てもらいたいと思いますね。町を巡行する山鉾たちは、千年の昔からの町人の想いが込められた宝なんです」

　なんだか、ジンと胸が熱くなる。

「いや、ご教授ありがとうございますだな。ホームズ、お前の側にいると賢くなれそうだ」

シミジミとそう言う秋人さんに、思わずプッと吹き出してしまった。

ややあって、秋人さんは柱時計に目を向けた。

「――おっと、そんじゃあ、俺もこれから稽古があるから」と立ち上がる秋人さん。

「稽古？」

「今大阪で舞台をやってて、良かったら観に来てくれよ」

バッグの中から、『真夏の夜の夢』というチラシを出した。

「シェイクスピアですか」

ホームズさんは興味深そうに受け取ったチラシを見詰めた。

「秋人さんの役は、『ライサンダー』ですか。合いそうですね」

「ライサンダー？」

「簡単に言うと、色男の役なんですよ」

「あ、なるほど」

おおいに納得してしまった。いつもホームズさんの説明は分かりやすい。

「ぜひ、観に行きたいと思います」

ニッコリと笑うホームズさんに、秋人さんは嬉しそうに頭をかいた。

歌舞伎に限らず、ホームズさんは、観劇全般が好きなのかもしれない。

あれも、芸術だものね。

「ああ、ぜひ。そんじゃあ、また」

秋人さんは軽く手を上げて、『蔵』を出て行った。

2

秋人さんが出て行って、今まで賑やかだった『蔵』の店内が、急に静かになる。

流れるのは、ジャズの優しいリズム。

ホームズさんは資料を片付け、私は空になったコーヒーカップをトレイに載せた。

「……やっぱり、浴衣って慣れないですね。いつも以上に仕事が遅くなりそうです」

どうにも袖が気になる。タスキとかした方がいいのかな？

「こちらのワガママで着てもらっていますし、期間中は無理なさらなくていいですよ」

「いえいえ、そんな。私のクラスメイトは、小料理屋にバイトに行ってて、いつも着物らしいんです。それでガッツリ働いているわけですから、私もちゃんとします」

そんな私に、ホームズさんはクスリと笑った。

「葵さんはまっすぐで素敵ですね」

「え、まっすぐ……ですか？」そんなこと言われたことがない。

「ええ、僕と父がどんなに『留守番してくれているだけでありがたい』と言っても、『バイト代をもらう以上はちゃんと仕事します』と、自分のできる仕事を探してやろうとする。自分の中に美学があって、それに準じているように見えます」

「そ、そんな、大層なものではないです。ホームズさんや店長さんの言葉に甘えて、ただ座っているだけでバイト代なんてもらったら、罪悪感で居たたまれなくなりますし、何より、ただ座っているのもつまらないですし」

過大評価されてしまっているようで、なんだか、バツが悪い気持ちになってしまう。

「それに、私はまっすぐなんかじゃないです。ちょっとしたことで簡単に揺れて、グニャグニャです」

目を合わせないようにテーブルを布巾で拭いた。

視線が合ったら、何もかも見透かされてしまうだろうから……。

「……最近、元気がないようなので気になっていました。何かありましたか？」

静かに尋ねるホームズさん。

……ああ、とっくにお見通しだったわけだ。

自嘲的な笑みが浮かんでしまった。

テーブルを拭く手を止めて、そっと顔を上げた。

ショーウインドウの向こうには、たくさんの人が行きかっている。

静かなこの店内とは、まるで別世界のようだ。

「実は……あの……」

ためらいがちに口を開いたその瞬間、カラン、とドアベルの音が響いた。

店内に足を踏み入れたのは、ワンピースを着た若い女性。

華奢な体付きに、肩先までのウェーブがかった髪。

可愛らしい雰囲気のその彼女は、どこか怯えたような目を見せていた。

驚いて、『いらっしゃいませ』と言う言葉が一瞬、遅れてしまった。

「和泉《いずみ》……？」

ホームズさんが少し驚いたような声を上げた。

「こ、こんにちは、清貴くん」肩をすくめる彼女。

ホームズさんはほんのわずかな一瞬、戸惑いの色を見せたものの、すぐにいつもの笑みを浮かべた。

「お久しぶりですね。お元気そうで何よりです」

そう、いつもの笑顔。ううん、いつも以上かもしれない。

「いややわ、そんな敬語なんて」

弱ったように漏らす彼女に対して、ホームズさんはただニコリと目を細めた。

「ご結婚されるとか。おめでとうございます」

――結婚される。

もしかして……とは思ったけれど、その言葉に確信を得てしまった。

彼女が、ホームズさんの昔の彼女なんだ。

和泉さんっていうんだ。なんて綺麗で可愛らしい人なんだろう。

頼りなげな雰囲気は、斎王代となった佐織さんと似たものを感じる。

「実は、鑑定をお願いしたいものがあって」

モジモジと歩み寄る彼女に、

「どうぞ、お掛けください」ホームズさんはスッと立ち上がって、椅子を引いた。

「……おおきに」

遠慮がちに腰を下ろす和泉さん。

店内はなんとも言えない緊張感に包まれていた。

私は何も言わずに給湯室に入って、先にコーヒーの準備をした。

ホームズさんがいる時は、いつも彼が淹れてくれるんだけど……。

なんとなく私は、ホームズさんの淹れた美味しいコーヒーを、あの人に飲んでもらいたくなかった。

「清貴くんが言うたように、私……結婚することになって」

ポツリと話すその言葉は、給湯室まで届いていた。

「改めて、おめでとうございます」落ち着いた口調のホームズさんの声も。

「……おおきに。で、神戸に住む叔母から、お祝いにと食器を頂いたんです。そうしたら、彼が『これがどれくらいのものなのか、鑑定しろよ』って。それで……」

言い難そうに話す彼女。その言葉に、正直驚いてしまった。

だって『叔母』って、彼の叔母ではなく、和泉さんの叔母さんなんだよね？

自分の叔母さんにもらった食器を、彼が『鑑定しろ』なんて言い出したの？

ちょっと信じられない。

まあ……売り払うつもりじゃなくて、単純な好奇心でどれぐらいの価値があるものなのか、知りたかったのかな？

苦笑してしまうのを感じながら、コーヒーをドリップした。

芳ばしい香りが、柔らかく店内に広がっていく。

「……お願いします」

そっとテーブルの上に箱を置いた和泉さんに、ホームズさんはいつものように白い手袋をはめる。私も品物を見たいと、心持ち急いでカップにコーヒーを注ぎ、そっとテーブルの上に置いた。

「それでは、あらためさせていただきますね」

丁寧に開けた箱の中には、風景が描かれた四角い皿が入っていた。

淡く優しい色合いだ。これは、どうみても西洋のもの。

ホームズさんって、西洋の品物も鑑定することができるんだろうか？　店にはさまざまな国の骨董品があるけど、思えば西洋の品物を鑑定しているところを見たことがない。

「……ロイヤルコペンハーゲンですね」

「あ、やっぱり、そうやったんや。叔母さんはそう言ったけど、私たちコペンハーゲンと言われたら『イヤープレート』しか知らないから」

決まり悪そうに肩をすくめる和泉さん。

ロイヤルコペンハーゲンと言えば、イヤープレート。

悲しいけど、私も同等の認識しかない。

「ええ、実際、ロイヤルコペンハーゲンと言えば『イヤープレート』というくらい人気ですね。イヤープレートは一九〇八年以来、欠ける年なく続いているものですし」

「あ、そうなん」

サラサラと流れるように説明をするホームズさんの姿に、驚いたように目を開く和泉さん。ホームズさんのこうした姿を見るのは、はじめてなんだろうか？

それにしても、ホームズさんは西洋アンティークのことも詳しいんだ、と私も密かに感心してしまっていた。

「実は彼が『コペンハーゲンはコバルトブルーの絵柄ばかりだから、これは違うんじゃないか』って言い出して」

「確かにロイヤルコペンハーゲンは古くから日本の古伊万里染付《こいまりそめつけ》の影響を強く受けまして、手描きによるコバルトブルーの絵柄が特徴だったりしますが、そうではない品もたくさんあります。こちらは六十年以上前に作られたヨーロッパ各地の風景を描いたシリーズものの一枚です。金額はそうですね……多く出回っているものでもありますし、二〜三万といったところでしょうか」

「二〜三万……」

なんとなく頷く和泉さん。嬉しそうなわけでも、ガッカリしている様子でもない。

「分かって良かった。素敵なお皿やし、大切にします」

ホームズさんの敬語につられてか、和泉さんはかしこまったように会釈した。

「ぜひ、そうしてください」

私は小さく息をついて、彼らに背を向けて少し離れた場所で埃取りを始めた。

「清貴くん……すごいんやね。鑑定できるのは知ってたけど、こんなふうにすごいなんて思わなかった」

「まぁ……家業ですから」

「……清貴くんは、『久しぶり』って言うたけど、私の方はそんなことないんよ」

意を決したように言う和泉さんに、私は思わず手を止めてしまい、

「えっ？」

さすがのホームズさんも戸惑ったような声を出した。

「この『蔵』の前も何度も通って見掛けていたし、京大のキャンパスにも行ったことがあって。……あ、清貴くん、京大の院に行ったんやね、すごいね」

「……ありがとうございます」

「わ、私、実は何度も今の彼と別れようと思っててん。浮気を繰り返されて……」

真っ赤な顔で俯きながら話す彼女に、ホームズさんは何も言わなかった。

俺様強引イケメン男というのは、彼女に対してだけではなくて、他の女にもスタイルを変えなかったらしい。

「でも彼は、浮気が発覚するたびに、『お前だけだ』って言うてきて……なんだか、そのまま流されて。だけどそのたびに清貴くんのことを思い出して、何度も会いたい思ってて。でも、今さら会えなくて素通りしてた」

一生懸命話す彼女に、まだ何も言わずに話を聞いているだけのホームズさん。

「……だけど、度重なる浮気にいよいよ許せなくなって、本気で『別れよう』って言ったら、彼に泣きながら謝られて。そんで『結婚しよう』って言ってもらえて。

私もその時は感動して頷いちゃったんやけど、いざ本当に結婚するとなったら、不安になって。結婚後も浮気が続くんじゃないかとか、この人で本当に良かったんやろうかって。

何よりいざ本当にあの人と結婚ってなった時に、清貴くんの顔がどうしても浮かんで。清貴くんは私のことをすごく大事にしてくれてたのに、私は若すぎてそれを分かってなかったなって、アホやったなって」

話しながら身体を小刻みに震わせ、ポロポロと涙を流す和泉さん。

まさに、庇護欲をかきたてるような、儚げな頼りなさで……。

ザワザワと、胸が騒ぐ。

ホームズさんが何か口を開こうとした瞬間、
和泉さんが遮るようにそう声を上げた。

「今は何も言わんといて、アホなこと言うてるって分かってる」

ホームズさんは了承した様子で、口を閉ざした。

きっと結婚前にいろいろ不安になって、そうした気持ちをぶつけに来たんだろうか？

でも、それってどうなんだろう？

訪れた沈黙の中、和泉さんは目に浮かんだ涙を拭って、小さく息をついた。

「……清貴くん、今も和歌は好き？」

「和歌ですか？　……ええ、まぁ」

突然、なんの脈絡もなく『今も和歌は好き？』などと尋ねる彼女に、聞き耳を立てている私が混乱してしまう。

「……これも識《み》てほしいの。明後日《あさって》取りに来るから、その時までに」

和泉さんはそう言って紙袋の中から、小さな箱を取り出した。

「明後日までに？」

明後日は、十五日だ。

「うん、ゆっくり識《み》てほしいの。……滋賀の山で作ったものだから」

スッと立ち上がる和泉さん。

「滋賀の山で……」

ホームズさんは、ほんの少し眉をひそめた。

和泉さんは扉に手を掛けて、そっと足を止めて、振り返った。

「今日はありがとう。思い切って会いに来て良かった。浴衣、すごく似合《にお》うとるね」

ニコリと微笑んでそう言う。

「ありがとうございます」

そのまま店を出ていった和泉さん。

ホームズさんは何も言わずに、和泉さんが置いていった小さな箱を開けた。

中には、抹茶碗。肌色をベースとした中に、描かれているのは緑色の……。

「これは、葉っぱ？」

思わず尋ねた私に、ホームズさんはそっと頷いた。

「……はい、ヨモギですね」

「価値のあるものなんですか？」

少し身を乗り出して尋ねた私に、ホームズさんはそれについては何も答えずに、ただ柔らかく目を細めた。

今はこの茶碗の価値について話したくなさそうだ。

「ホームズさんって、和歌がお好きなんですか？」

話題を変えた私に、ホームズさんは小さく笑った。

「まあ、普通に。……彼女と親しくなるキッカケが和歌だったんですよ」

「キッカケが和歌？」

「ええ、高校二年の秋、学校行事の一環で、紅葉で有名な東山の東福寺《とうふくじ》に行きましてね」

「学校行事の一環……」少しドキリとしてしまった。

「小川に真っ赤な紅葉が流れる様子を見て、彼女が、『わあ、あの有名な和歌を思い出すね。ちはやぶる　神代も聞かず　竜田川っていう歌。……ええと、下の句はなんだったっけ』と声を上げていたので、『からくれないに　水くくるとは』と答えたんです。

そのことがキッカケで、彼女は僕のことを『和歌好きの男』だと思った上、好きになってくれたそうなんです」

「……な、なるほど」

紅葉で真っ赤に染まった川に感激する中、こんなイケメンに下の句《く》を詠《よ》んでもらったら、それはキュンとしても仕方ないかもしれない。

「……ただ、和歌は普通に好きなんですが、彼女が言うほど和歌が大好きってわけじゃなかったんですがね」

バツが悪そうに肩をすくめるホームズさんに、プッと笑ってしまった。

ホームズさんとしては、ただ知っていたから答えただけの話だったんだろう。

「……それにしても、女性は揺れやすいものなんですね」

茶碗を手に、独り言のように漏らす彼に、私はひとつ、息をついた。

「そうかも、しれませんね」

私もちょっとしたことで、揺れまくってしまっている。

「そういえば、話の途中でしたね」

「えっ？」

「最近、葵さんの元気がないことが気になっていたという話です。何かありましたか？」

「あー……はい、前の埼玉の学校で……その、それも学校行事の一環という感じで、祇園祭を観に来るそうなんです」

そう話した私に、ホームズさんは少し驚いたように目を開いた。

「文化研修旅行とかで。それで、仲良しグループだった友達から『会いたいから、宿泊先のホテルのロビーまで来てほしい』って連絡がきまして。

仲良しグループには、かつて親友だった子もいるし、もしかしたら、前の彼にも会ってしまうのかと思うとすごく複雑で。でも、他の友達には会いたいし、『いいよ、会いに行くね』って返事はしちゃったんですけど」空笑いを見せる私に、

「……そうですか」ホームズさんはゆっくりと立ち上がった。

「……良かったじゃないですか。葵さんの中では、まだ悶々としていたでしょう？　埼玉まで行かなくても、向こうが来てくれるんでしたら。いい機会かもしれませんよ」

私を見下ろしてしっかりとした眼差しで言うホームズさんに、胸が詰まった。

「……はい、そうかもしれないです」

「会いに行くのはいつなんですか？」

「十五日の宵宵山《よいよいやま》です。夜の七時半に四条室町通《しじょうむろまちどおり》沿いのホテルのロビーでって」

宵宵山、つまりは祇園祭の前々夜祭。

たくさんの出店が出て、ライトアップされた山鉾が通りに並ぶ、祭りの始まりだ。

その日はここ、『蔵』で夜七時までバイトだから、ちょうどそのまま向かうことができる。

ホームズさんの言う通り、これはいいチャンスだって思う。

ただ、いろんな意味で不安で、胸が騒いで仕方ない。

「……そんなに気に病まなくても、案ずるより産むがやすしですよ」

ポンッと頭に手を乗せて、優しい笑顔を見せた彼に、キュンと胸が締め付けられる。

「ホームズさん……」

その時、ホームズさんの携帯電話《スマートフォン》がブルルと震えた。

ホームズさんは画面を確認し、

「——そうだ。組合に届けなきゃいけない書類がありまして、すぐ戻って来るので、留守番お願いしますね」と引き出しから茶封筒を取り出して、急ぎ足で店を出て行った。

「あ、はい」

返事をした時には、すでにホームズさんの姿はなく、私は、なんとなくテーブルの上に置いたままになっている茶碗を見た。

……ヨモギの絵が描かれた茶碗。

『蔵』にバイトに入って、数カ月。私なりに、目を養ってきたつもりだ。

この茶碗は、どう見ても……素人が作ったものとしか思えない。

とすると、これは和泉さんが作ったものなのかな？

自分が作ったものを鑑定してほしいってこと？

『清貴くん、今も和歌は好き？』

その言葉のあとに、この茶碗を出した。

滋賀の山で作った……か。もしかしたら、和歌に掛けているのかもしれない。

そうだ、きっと、この茶碗は和歌に掛けていて、何かメッセージが込められているんだ！

ハッとして顔を上げ、すぐに店内の本棚に目を向けた。

店内の本棚には、さまざまな資料が整然と並んでいる。

まずは地図帳を取り出して、滋賀の山を調べてみることにした。

索引のページにあかさたな順に並んでいた。

伊吹山、金糞岳、白倉岳、ブンゲン、御池岳……思った以上に山はたくさんあった。

「……分からないなぁ」

しばらく滋賀の山の名前を眺めていたけれど、全然ピンとこない。

そもそも、滋賀は信楽焼《しがらきやき》と陶芸で有名だし、『滋賀の山で作った』というのはあまり関係ないのかもしれない。それじゃあ、ヨモギを調べてみよう。

ヨモギ……四方に根を張ることから四方草（ヨモギ）と呼ばれ、モグサ、ヤイトバナ、などの別名を持ち『さしもぐさ』として、和歌にも詠まれた。百人一首には二首も詠まれている。

「百人一首……」

もしかして、と今度は和歌集を取り出し開いた。

さしも草……さしも草……。

やがて百人一首の中に、『さしも草』という単語が入っている二首の歌を見つけることができた。

『契りおきし　させも（さしも草）が露を　命にて　あはれ今年の　秋もいぬめり——藤

原基俊』

意味は……ええと……。

『貴方様はおっしゃいましたよね。「私を頼みにせよ」と。その言葉を信じて露の命をつないできましたのに、結局叶えられなかった』

解説：これは息子を取り立ててくれるよう口利きを頼んだが、それが聞き入れられなかった。恨み言の歌。

「…………」

息子の口利きを頼んで、受け入れてくれなかった恨み言って……。

この歌ではないよね。もうひとつは？

『かくとだに　えやは伊吹の　さしも草　さしも知らじな　燃ゆる思ひを——藤原実方』

伊吹のさしも草……。伊吹山、滋賀の山。

ドキドキして震える指で、その意味を調べた。

『あなたのことをこれほど好きだというのに言えないでいます。

言えないからあなたはそうとも知らないでしょうね。

ちょうど伊吹山のさしも草のように燃えているこの思いを——』

バクンと鼓動が跳ね上がった。

そうか、これは……この茶碗は、和泉さんの渾身の想いを込めた告白なんだ。

ただ、『やっぱりあなたが好きなんです、今も忘れられないんです』と伝えるよりも、こうした和歌に掛けた陶器の茶碗を贈る方が、ホームズさんの胸に届くと思ったんだ。

下の句を詠《よ》んでもらって、恋に落ちた自分の時のように。

この茶碗を見て、自分の想いを感じてほしい。

そして受け取ってほしいと言っているんだ。

その答えを聞きに、明後日の十五日に来ると言ったんだ。

ホームズさんは、この茶碗を一目見て、このメッセージに気付いたはず。

一体どうするんだろう？

すごく好きだった人だから、こんなにいじらしい謎掛けで告白なんて、やっぱり揺れるよね？

『あなたのことをこれほど好きだというのに言えないでいます』

額に冷たい汗が滲む中、そっと資料を本棚にしまって、しばし惚けていると、カランとドアベルが鳴ってホームズさんが戻って来た。

「すみません、思ったより時間がかかってしまって。大丈夫でしたか？」

「あ、はい。お客様も来なかったですし、電話も鳴らなかったですよ」

ニコリと微笑んでそのままハタキを手に、スッと背を向けた。

——山鉾に彩られる宵宵山の十五日。

それは奇しくも、私も決着をつけなければいけない日だった。

3

七月十五日、祇園祭『宵宵山』(前々夜祭)。

各通りに展示されている山鉾を観ようと、たくさんの観光客が訪れ、京の町は一層賑やかだった。

立ち並ぶ出店に、行きかう浴衣姿の老若男女。

その日、私はいつものように学校が終わったあと、すぐに『蔵』に向かっていた。

「おはようございます」

店に入る時は何時であろうと『おはようございます』と言う。

いつものように挨拶しながら顔を出した瞬間、

「あ、葵ちゃん、来たな。今日は浴衣をちゃんと着付けたるわ」

「えっ?」

私が来るのを待機していたらしい美恵子さんが勢いよく、裏へと連れ込んで朱色の帯を可愛く結んでくれた。浴衣は先日頂いた白地に赤い撫子の浴衣。

「うん、ええわ。これなら着崩れせえへんよ。よう似合《にお》うとる」

狭い着替えスペースで美恵子さんは、私の帯を結んでくれたあと、どこか誇らしげに強く頷いた。

そんな彼女は薄紫の爽やかな浴衣を着ていた。

さすがは長年の京女《きょうおんな》。しっかりと着慣れた感じで、着こなしが板についている。

「ありがとうございます。美恵子さんの浴衣も素敵ですね」

「おおきに。これ、ええやろ、色が気に入ってんねん」

「ええ、とてもよく似合ってます。私の浴衣もとても可愛いですし、美恵子さんってセンスがいいんですね」

帯に手を触れながらそう言う私に、美恵子さんはパッチリと目を開いた。

「そら、ま、センスがええかもしれへんけど、あんたの浴衣を選んだのは清貴ちゃんやで」

「えっ？」ドキンと、心臓が音を立てた。

「私もオーナーに頼まれてんけど、若い子の流行はよう分からんし、清貴ちゃんに相談したら、これが似合いそうやって。もっと派手な方がええんちゃうかって思ってんけど、よう似合《にお》うとるわ。さすが目利きやな」

楽しげに話す美恵子さんに、私は何も言えなくなって俯いてしまった。

その後、「私も忙しいんやで」と美恵子さんは慌ただしく店を出て行き、いつものように店内には私とホームズさんだけになった。

カウンターに座って帳簿をつけているホームズさん。今日はダークグレーに黒帯の浴衣だ。濃紺の浴衣も良かったけれど、さらに大人びた印象でキュンとしてしまう。

まったく、なんて浴衣が似合う男《ひと》なんだろう。さすが、京男子！

「……外は賑やかでしたか？」

帳簿に目を向けながら優しく尋ねて来たホームズさんに、我に返って顔を上げた。

だって、自分でもハッキリと感じるくらい、顔が赤くなっているのが分かったから。

——この浴衣を選んでくれたのが、ホームズさんだってことが嬉しくて。

「あ、はい。さすが祇園祭ですよね」

「早いもので、もう宵宵山。葵さんが、埼玉のお友達に会うのは今日でしたよね？」

その言葉に、今度は別の意味でドキンとしてしまう。

「あ、はい。ええと、『緑苑《りょくえん》』というホテルのロビー」

「ああ、緑苑さんでしたか。あそこは、昔から修学旅行生を受け入れているホテルなんですよ」

「そうなんですね」

なんとなく頷いて、チラリとカウンターの上に置いてある紙袋に視線を送った。

それは和泉さんが作った茶碗。

「……たしか、和泉さんが来られるのって、今日でしたよね？」

すごく気になっていることを、まるでなんでもないことのような顔をしてサラッと尋ねてみた。

「そうですね、今日来られると言っていましたね」

ホームズさんも、特に重要ではないことのようにアッサリと頷いた。

もしかして、ホームズさんは和泉さんの告白に気付いていないんだろうか？

いや、ホームズさんに限って、気付かないわけがない、絶対に気付いているはず。

ホームズさんが、あの茶碗を受け取った時、それは彼女の想いをも受け取ったということ。幸か不幸か、私はここでそれを見届けることができるわけだ。

で、そのあとに、埼玉の仲間に会いに行くわけで……今日はなんて日なんだろう！

4

――今日はいつもより、時間が進むのがとても長く感じられた。

三条商店街のアーケードは、たくさんの人で賑わっているけれど、骨董品店『蔵』に立ち寄ろうとする者はいなかった。

ここは気軽にフラリと立ち寄れる雰囲気の店じゃないし、イベント時なら、なおさらだ。

ほとんど客が入らない中、ゆっくりゆっくり時間がすぎていく。

和泉さんも来る様子はない。

今日は、祭りということもあって、『蔵』は七時に閉店するらしい。

(いつも八時までなんだけど、今日はお客も入らないだろうからと)

だけど、夕方六時五十分になっても、和泉さんは姿を現さなかった。

……どうして、来ないんだろう?

気が変わっちゃったんだろうか。

和泉さんがいつ来るのだろうと、落ち着かない中、ホームズさんはいつもと変わらない様子を見せていた。

もしかして、メールとかでもうすでに連絡を取り合っていたりして?

悶々としてくるのを感じて、思わずかぶりを振った。

もう七時になる。

「あ、私……そろそろ、浴衣を脱いで着替えないと」

小さく息をついてそう言うと、ホームズさんが顔を上げて時計を目にした。

「ああ、もうこんな時間なんですね。葵さん、祇園祭ですし、そのまま浴衣で行かれてはどうですか?」

「えっ?」

「お友達も『祇園祭の文化体験』に来られるわけですし、みなさん浴衣かもしれませんよ」

「あ……そうかも」

「何より、よくお似合いですし」ニコリと微笑むホームズさんに、カアアと顔が熱くなる。

「そ、そうですか。それじゃあ、せっかくだからこのままで行くことにします。巾着《きんちゃく》も持ってますし」

その時、カランとドアベルが鳴って——和泉さんが、姿を現した。

「……清貴くん」

「いらっしゃいませ」

遠慮がちに会釈する彼女を極上の笑みで迎えるホームズさんに、ズキンと胸が痛んだ。

「どうぞ、お掛けください」

「おおきに」

「外は賑やかだったでしょう」

「ほんまに」

楽しげに笑みを交わし合う二人。

この前のような緊張感はなくて……なんだかいい雰囲気だ。

そうか、和泉さんは七時に閉店することを知っていて、あえてギリギリに来たのかな？

もしかしたら、一緒に祭りを楽しもうって思ったのかもしれない。

そもそも、事前に約束をしていたのかも。

どちらにしろ、私は蚊帳《かや》の外で、もう出なくてはいけない時間だ。

「あ、それじゃあ、私……上がります。お疲れ様でした」

ペコリと頭を下げ、逃げるように店を出た。

店を出た瞬間、夏の熱気を感じて一瞬目を細めた。

薄暗い空の下、たくさんの観光客が行きかっている。

約束の時間までは三十分もある。

それはゆっくりとした足取りで、ホテルへと向かった。

こんなに気が重いのは、親友と前の彼氏に会うかもしれないから？

それとも、ホームズさんと和泉さんのことが気になるから？

私は、ただいろんなことを不快に思うだけで、自分が何をしたいのか、何を望んでいるのか……サッパリ分からないんだ。

こんなんだもん、幸せになれないのは仕方がないのかもしれない。

そんなことを思って、自嘲的な笑みが浮かぶ。

♪コンチキチン、コンチキチン♪　と流れるお囃子。

少しずつ色濃くなる夜に浮かび上がる、鮮やかな山鉾。

照らす提灯の数々。

それは、まさしく日本の光景でありながら、まるで異世界に迷い込んだように幻想的だ。

慣れない浴衣のせいでゆっくりと歩いたおかげで、さほど遠くないホテルまで二十分近くもかかってしまった。

『緑苑』というホテルの看板を確認して、ロビーに足を踏み入れる。

そこは特別和風でもない昭和の香り漂う、小さめのホテルだった。

ロビーに入った瞬間、

「わー、葵だ！」と歓喜に近い声が耳に届いた。

驚いて顔を上げると、かつて仲良くしていたグループの友人たち。

咄嗟に彼を奪った親友・早苗を探すも、彼女の姿はなかった。

ホッとすると同時に、懐かしい友人たちの顔に頬が緩む。

ホームズさんの言う通りみんな浴衣を着ていた。私も浴衣のままで、本当に良かったと心から思った。

「みんな、久しぶり！」

「ちょっと、元気そうじゃん、葵！」

「葵の浴衣姿、超カワイイし」

明るい笑顔で迎えてくれる。

嬉しい、みんな変わってなくて。勇気を出して、ここに来て良かった。

心から思っていると、

「実はさ、早苗と克実がね、あんたにどうしても話したいことがあるんだって」

急に真顔になった友人の言葉に、バクンと鼓動が跳ねた。

「――えっ？」

次の瞬間、まるで示し合わせたかのように、柱の陰にいたらしい元彼・克実と、親友・早苗が姿を現した。

二人とも沈痛の表情を浮かべている。

私は突然のことに、ただバクバクとうるさい心臓を抱えて、正直、立っているのがやっとなくらいだった。

二人は苦しそうに私の前に歩み寄って、

「――葵、ごめん」

「ごめんなさい」

深々と頭を下げた。

「……人づての噂とかで聞いていると思うんだけど、今、俺たち付き合っているんだ」

やっぱり、聞きたくなかった事実に胸が痛む。

「葵がいなくなったあとね、私も克実もすごく寂しくてね、『お互い大切な葵を失った者同士、寂しさを紛らわせよう』って一緒に遊ぶことが多くなってね……」

「いや、いいよ、俺が言う。葵、本当にごめん。俺も早苗も葵がすげー好きで、葵がいなくなった喪失感がすごくて……その寂しさを誤魔化すために、二人でカラオケとか行くようになって」

「わ、私が悪いんだ。そのうち、私が克実のことを好きになってね」

「いや、俺が悪いんだよ。早苗と離れられなくなって……」

「本当にごめんなさい！」

交互に競うように懺悔をして、何度も頭を下げる。

「葵、あたしたちもさ、最初は『マジでひでー』って思ったけど、早苗はマジで葵のことを考えすぎて、軽い拒食症っぽくなったりしてさ」

「うん、それにね、克実も葵とちゃんとケジメをつけたあとに、早苗と付き合うことになったんだけどね」

二人をかばうように話す友人たち。

……これは、何？

——ああ、そうか。

そうなんだ。

私に会いたいと言ったのは、私に本当に会いたかったからじゃなくて……。

二人の一方的な罪悪感を解消させるためだったんだ。

ここにはもう、私のことを思ってくれる友人は、一人もいなくなってしまったんだ。

こうして頭を下げて、懺悔して、私が『もう、いいよ』と言ったら、二人は心置きなく交際できるんだよね？

私は、どうしたらいいの？

そんなの……笑顔で許す言葉を口にする以外ないじゃん。

『そんなのそっちの勝手な言い分でしょう？　こんなふうに一方的に謝られる私の気持ちだって考えてよ！』なんて言ったところで、どうなるというんだろう？

これは私が許す言葉を告げることが前提の、茶番だ。

震えそうになるのを誤魔化すように、ギュッと拳を握りしめた。

気を抜くと泣き出しそうなのを、なんとか堪えて、笑顔を作ってみせる。

「い、いいよ、もう。私たちは離れてしまったことでダメになってしまったんだし……」

この言葉を言うのは、この二人のためじゃない。

これ以上、みじめな思いをしたくない、私のためだ。

「彼氏と親友が付き合うのは、正直複雑だけど、でも……好きになってしまうのは、仕方のないことだし」

あなた方が、もっとも欲しい言葉をあげるから、もう私の前から消えてほしい。

「私のことは気にせず、仲良くしてね」

きっと、最後まで笑顔で言えたに違いない。

友人たちは「ワッ」と声を上げた。

「ありがとうぉ」と、泣き出す早苗に、そんな彼女の頭を撫でる克実。

口の奥が苦くて、鼻がツンとしてくる。

どうしよう、本当に涙が出そうだ。悔しくて、情けなくて、みじめで……。

「葵、マジでカッコイイよ」

「うん、惚れた」

「ねぇ、このまま一緒にみんなで祭りに行かない？」

みんな興奮しているせいで、そんなことを言い出す。

やめて……もう、お願い。今すぐ、この場から離れたいのに。

涙を堪えるのが、精一杯なのに。

「ねっ、行こうよ」

友人の一人が手を伸ばしかけたその時、

「——葵さん？」

ロビーにホームズさんの声が響いた。

「えっ？」

振り返ると、そこには間違いなく浴衣姿のホームズさんがいて、頭が真っ白になった。

どうして、ホームズさんがここに？

戸惑いの中、心臓だけが強く音を立てる。

突然、現れたホームズさんの姿に、

「え、誰？　めっちゃイケメンじゃね？」

「浴衣男子、カッコいい」

「葵の知り合い？」動揺し顔を見合わせる友人たち。

「あ……うん、そうなの」

戸惑いながら頷いていると、ホームズさんはスッと私の隣に立って、ニッコリと笑顔を見せた。

「はじめまして、家頭清貴と申します。このたびは、はるばる埼玉から『祇園祭』を観に来てくださって、ありがとうございます」

まるで観光大使のように言うホームズさん。

どうしていつもこの人は、京の町や美術品を背負っているんだろう。

「えっと、祇園祭の関係者さん？」

当然とも思える素朴な疑問をぶつける友人に、ホームズさんは小さく笑った。

「いえ、大学で『文献文化学』について学んでいます。そうだ、みなさんは高校生ですよね。もし京大に興味がありましたら、ぜひ遊びに来てください。案内しますよ」

その言葉に、「ちょっ、京大生？」「すげっ」みんなは口に手を当てて顔を見合わせた。

その様子に、ただ呆然としていると、ホームズさんはそっと私を見下ろした。

まるで私の心の奥まで見透かすように、しっかりと目を見詰めていた。

「お話は終わりましたか？」

「あ……はい」

「それじゃあ、一緒に祭りを観に行きましょうか」

そう言って手を差し伸べてくれたホームズさんに、涙が出そうになった。

誰も分かってくれない中、ホームズさんは……。

ホームズさんは、分かってくれた。

私が、今すぐこの場から離れたいことを感じ取ってくれたんだ。

涙が流れそうだけど、ここでは、泣かない。

「はい、ぜひ」

強く頷いて、差し伸べられた手を取った私に、みんなが『わあ』と顔を輝かせた。

「ちょっと、そういうことかー、葵！　それで浴衣なんだ！」

「超イケメンの京大生の彼なんて、マジで羨ましいし！」

「祭りでラブラブしちゃって！　今度ゆっくり話、聞かせて！」

興奮気味に声を上げるみんな。

そんな中、ホッとした様子ながらも、どこか複雑そうな表情を浮かべる早苗と、呆然としている様子の克実の顔が、印象的に映った。

「う、うん、それじゃあ、みんなまたね」

「行きましょうか、葵さん」

手を取って、そのまま歩き出したその時、

「あ、葵！」

それまで黙り込んでいた克実が勢いよく身を乗り出して、私の手首をつかんだ。

「えっ？」

「なんだよ、俺と離れて間もないのに、京大生の男と付き合っているってどういうことだよ」

克実の言葉に、私もみんなも『はいっ？』と目を開いた。

「な……何を言って」困惑しながら口を開きかけた瞬間、

「ちょ、克実、何言ってんの、あんたには早苗がいるでしょう？」

「しかも、葵を裏切ったくせに」

「そうだよ、葵が超イケメンの京大生といい感じだって分かった瞬間、惜しくなったわけ？何それ、マジで信じらんないんだけど」

友人たちが一斉に非難の目を向け、早苗は居たたまれない様子でその場から逃げ出し、

「あ、ちょ、早苗！」慌てて追いかける克実。

──って、なんだろう、茶番に続く、この昼ドラ劇場は……。

ショックを通り越して、呆れから苦笑が浮かぶ。

この瞬間、いろいろと溜め込んでいたすべてのものが、スッと消えていく気がした。

……これが一気に冷めたということなんだろうか？

でも、良かった。

これで、本当に本当に本当に……強がりでもなんでもなく、過去の恋を清算させることができた気がする。

「……葵さん」

「あ、はい」

ホームズさんは、立ちつくしていた私の手をしっかりつかんで、ホテルの外に連れ出してくれた。

そのまま通りに出て、祭りに賑わう町を歩く。

手はつないだまま。

夜に浮かぶ提灯の明かりが、とても優しく照らしていた。

「ここは人が多すぎますね。こっちに抜けると、スムーズに歩けますよ」

とホームズさんはスッと路地裏に入った。

いかにも京都っぽい、人一人が通れるほどのその細い小径《こみち》は、それまでの人の波が嘘のように、静かで情緒のある和空間だった。

「……ホ、ホームズさん、驚きました。来てくれたんですね」

本当は、もっともっと聞きたいことがいっぱいあった。

和泉さんとはあのあと、どうなったのかとか、いろいろと。

だけど、最初に口をついて出た言葉は、これだった。

すると、ホームズさんは、そっと足を止めた。

「なんだか気になったんです。葵さんが……泣いているような気がして」

その言葉が、胸を射貫《いぬ》く。本当に……彼には、何もかもお見通しなんだ。

「さ、さすがですね、ホームズさん」

ポツリと零すと、彼は何も言わずに振り返って、私を優しく見下ろした。

「私、限界だったんです。あの二人に一方的に懺悔されて、友達はみんな彼らの味方で、誰も私の気持ちを考えてくれる人がいなくて……。そんな時にホームズさんが来てくれるんですもん、本当に驚きました」

本当に、救われたんだ。

「わ、私、あの二人に祝福の言葉を言ったんですよ。だけど、それは『あなたたちのためじゃない、自分のためだ』なんて思いながら言ってました。……ダメですよね。どうせ祝福の言葉を言うなら、心から言ってあげられたら良かったのに。私には、それができなくて……。でも、良かったです。ずっと女々しくズルズルしてきた私ですが、これでようやく吹っ切れました。私のことを心配して、わざわざ来てくださって、助けてくれてありがとうございました」

なんとか笑みを浮かべて頭を下げたその時、ホームズさんが大きく息をついた。

「無理して笑わんでもええ。あんなん、ありえへんやろ」

少し怒ったように京都弁で告げた。

「えっ？」

驚いて顔を上げると、眉をひそめているホームズさんの顔が見えた。

「葵さんに後ろめたくて、きちんと謝りたいんやったら、友達で固める必要なんてないやろ。あんなん、えげつなさすぎや」

いつも穏やかで上品なホームズさんとは思えない、強い口調。

その言葉からも、彼が素で怒っていることが分かった。

――私のことで、怒ってくれているんだ……。

「……ホームズさん」

重苦しかった心が軽くなる。嬉しくて胸が熱い。

本当に、ホームズさんが来てくれて良かった……。

俯いた瞬間、大きな手がふわりと頭を撫でた。

「……しんどかったやろ、葵さん」

優しくそう言ってくれた、その瞬間……。

「————ッ！」

何かが決壊したように涙が溢れ出た。

「ホームズさんっ！」

「いっぱい泣いたらええ、葵さんはがんばったんやから」

ポンポンと、優しく背中を撫でてくれるホームズさん。

私は気が付くとその胸に飛び込んで、ワンワンと声を上げて泣いていた。

本当に、もう……泣いたっていいんだ。

大好きだった彼も親友も友達さえも、自分から離れてしまって、本当につらかったんだ。

あの場では泣けなかったんだ。絶対に泣きたくなかったんだ。

だけど、ここでは、もう泣いてもいいんだ。

……ホームズさん！

優しく撫でてくれる手に、温かい胸。

浴衣から仄《ほの》かに漂う、甘い香《こう》の薫《かお》り。赤い提灯が涙で滲む。

少し離れたところで、祭囃子が優しく響いていた。

5

そのまま私たちは山鉾を観て回って、再び寺町三条の『蔵』に戻った。

思えば私は、学校の制服や鞄を店に置いたままにしてしまっていた。

静かな夜の商店街。『蔵』だけが、仄かなランプの明かりを照らしていた。

「――どうぞ」

いつものようにカフェオレを淹れてくれるホームズさん。

「ありがとうございます」

カップを手に取って、口に運ぶ。染み渡るように美味しいと感じた。

カウンターの上に目を向ける。もう、和泉さんの茶碗はなかった。

「……ホームズさんは、和泉さんが茶碗に込めたメッセージに気付きました？」

ポツリと尋ねた私に、ホームズさんは少し驚いたように目を開いた。

「ええ。というか、葵さんこそ、よく気付かれましたね」

「いや、まあ、それは、まあ」

気になってコッソリ調べたとは言い難い。

「で、あの、なんてお答えしたんですか？」

誤魔化すように話を進めると、ホームズさんは手にしていたカップをそっと置いた。

「彼女から茶碗の受け取りと、返歌を求められている感じでしたので、ちゃんとお返ししました」

返歌って、和歌で返したってことだよね？　さすがホームズさん！

「な、なんて返したんですか？」

「『夏の夜の　夢ばかりなる　手枕に　かひなく立たむ　名こそ惜しけれ』と、周防《すおう》内侍《ないし》の歌をもじって、茶碗と一緒にお返ししました」

「……それは、どういう意味なんですか？」

「元の歌は『春の夜の　夢ばかりなる　手枕に　かひなく立たむ　名こそ惜しけれ』というもので、その意味は『春の夜の夢のような、短くはかない一時の手枕のために、あなたと私の間に、つまらない噂が立っては困ります』というものなんです」

「……は、はぁ」

ということは、つまり……『夏の夜の夢のような、短くはかないあなたの気まぐれのために、僕との間につまらない噂が立っては困ります』と、サックリお断りしたわけだ。

相変わらず優雅ながらも、鋭い切れ味。

（さすが京男子）

「で、でも、揺れなかったんですか？　かつてすごく好きだった人に、渾身の想いを込めた告白をされたわけですよね？」

「揺れませんでしたよ。たしかにかつては後引く失恋でしたが、僕の中ではとっくに終わったことでしたからね。それに、渾身の想いを込めた告白のように見せて、作られた茶碗のラインには、随分と『打算と迷い』が見えましてね。彼女にとって僕への想いの再熱は、ただの『逃避』であることが伝わってきたんです」

「ライン……」ゴクリと息を呑んだ。

「ええ、父の小説もそうですが、創作物にはすべて作り手の隠しきれない本質があらわれるものなんですよ。僕は彼女にそのことを正直に伝えた上で、『結婚に対して、そこまで迷うなら、もう一度彼と両親とともにしっかり話し合わないと、一生後悔しますよ』と勝手ながらアドバイスさせていただきましたら、頬を膨らませてお帰りになりました」

「そう……だったんですか」

やっぱり、ホームズさんは冷静だ。

彼女の浮わついてしまった告白に流されることなく、本質を見抜くんだから……。

まぁ、そもそも、ホームズさんにとって、和泉さんとは本当に終わったことなんだろう。

そう思うと、どこかホッとしてしまう自分がいて、少し戸惑った。

どうして、ホッとしているんだろう？

そう思うと同時に、ホームズさんの胸の中で思い切り泣いてしまったことが脳裏を過り、カァッと頰が熱くなった。

「葵さん、どうかしましたか？」

急に顔を覗かれて、思わず仰け反った。

「い、いいえ、なんでもないです、本当に」

バクバクと胸が早鐘を打つ。

何をこんなにドキドキしているの？

その時、カランとドアが大きく開いた。

「おー、小さな明かりがついとる思ったら、開いとるわ」

「きっと、清貴ですよ」

入って来たのはオーナーと店長さん。

どちらも祇園祭の帰りらしく、団扇《うちわ》を手にしている。

私たちを見て、オーナーは「おっ」と目を開いた。

「なんや、こんな薄暗い中で、若い男女がいやらしいやないか」

「そういうあなたの頭の中がいやらしいんですよ。葵さんに失礼でしょう？　今コーヒーを淹れますね」

動じもせずに立ち上がるホームズさん。

一方の私は、なんだか分からないけど、心臓が爆発寸前だ。

どうして、こんなにドキドキしているんだろう？

「葵さん、宵宵山はどうでしたか？」

優しく尋ねてきてくれた店長さんに、我に返って視線を合わせた。

「あ、はい。とても幻想的で素敵でした」

「今年は去年より盛況でしたね」

トレイを手に給湯室から出て来るホームズさん。

テーブルにコーヒーが並ぶ頃、またカランと扉が開いて、今度は美恵子さんが勢いよく姿を現した。

「なんや、明かりがついてる思ったら、お揃いかいな。祭りで上田さんと秋人さんをつかまえたで」

「おー、コーヒーのええ匂いやん」

「約束通り、祇園祭、観て来たわ」

そのあとに、ガヤガヤと店に入って来る上田さんに秋人さん。

いつものメンバーに、なんだかホッとする。

「ホームズ、俺たちにもコーヒー淹れて」

「ワインでもいいな」

ホームズさんは「はいはい」と頷いたあと、
「葵さん、カフェオレのおかわりはいりますか？」と、また私の顔を覗いた。
「……あ、お願いします」再び、強くなる鼓動。
本当に、どうして、こんなにドキドキしてしまうのか。
きっと、あんなふうに、ホームズさんの胸で泣いちゃったからかもしれない。
ホームズさんの広い胸と、甘い香り、大きな手がとても優しくて温かかったから。
それを思い返しては、ドキドキしてしまうんだ。
だけど、その一方で気持ちはこんなにも清々しい……。
本当に、ようやく、過去を清算できたんだろう。
この祇園祭を境に、後ろを振り向いてばかりいた自分に決別しよう。
これからは前を向いて歩いていくんだ。
うん、と頷いて、カフェオレを口に運び、そっと微笑んだ。

ワイワイと賑やかに、寺町三条の夜が更けていく。

――それは、祭りのあとの、楽しくも幸せなひと時だった。

参考著作・文献等（敬称略）

中島誠之助『ニセモノはなぜ人を騙すのか』（角川書店）
中島誠之助『中島誠之助のやきもの鑑定』（双葉社）
三杉隆敏『真贋ものがたり』（岩波新書）
直木公彦著『白隠禅師‐健康法と逸話』（日本教文社刊）
『古寺巡礼　京都‐22　仁和寺』（淡交社）
ＮＨＫ総合『ＮＨＫスペシャル　祇園祭　至宝に秘められた謎』

あとがき

はじめまして、望月麻衣と申します。

このたびは『京都寺町三条のホームズ』をお手に取ってくださって、本当にありがとうございます。

私が京都市民になったのは、二〇一三年の春。

元々北海道民だった私にとって、真逆といっても過言ではない古都・京都は、何もかもが新鮮で目新しく、すべてが面白くてたまりませんでした。

その『余所者目線と感覚』が色褪せないうちに、京の町をどうしても描きたいと思ったことが、本書を執筆することになったキッカケのひとつでもあります。

また、同じように、ずっと描いてみたいと思っていたのが、『ライトミステリー』というジャンルでした。『人が死なない楽しいミステリー』というものに、とても魅力を感じていたんですよね。

よし、それじゃあ、京都を舞台にしたライトミステリーを書こう！

そう思った時に、ふと浮かんだタイトル名が、『京都寺町三条のホームズ』でした。

実は本作品、タイトルが先で、そこから話を膨らませたお話なんです。

『京都寺町三条のホームズ』

うん、なんとなく流れもいいし、これで決まり！

家頭という苗字でホームズってことにしよう、と、ここまでは流れるように決まったのですが、そこから先は茨の道でした。

京の町、古美術・骨董品、思った以上に勉強することが多く、本を積み上げて読んでは、ひたすらノートに書きこむ日々。

また、本書を書くにあたって、鑑定士・中島誠之助さんの本を暗記するほどに読ませていただきました。

元々ファンだったのですが、古美術の世界をとても分かりやすく面白く書いてくださっていて、さらにファンになりました。ありがとうございます。

そんなわけで本作の登場人物・オーナーこと『家頭誠司』のモデルは……と公言したいところですが、オーナーが自由すぎるキャラなので、自重しておきます。

本作品は今までにない生みの苦しみを味わったのですが、それだけに書き上げられた時の喜びも大きかった、とても思い入れの強い作品です。

ですので、本作を手に取ってくださったことが心より嬉しく、読み終えてほんの少しでも、何か心に残り、『京都に行きたいな』と思っていただけたら本当に幸せに思います。

最後にこの場を借りて、お礼を伝えたいと思います。

いつも応援してくださる、読者様。

支え励ましてくれて、互いに切磋琢磨できる、大好きな友人たち。

私の執筆活動を許容し、応援してくれている、愛する家族。

夢を叶えてくださったE★エブリスタというスマホ小説投稿サイトならびに、本作出版に当たってご尽力してくださった、編集の川崎龍一郎様。

的確なアドバイスで導いてくださった、双葉社・宮澤震様。

素晴らしいイラストを描いてくださった、ヤマウチシズ様。

——この作品を手に取ってくださった、あなた様。

私と本作品を取り巻くすべてのご縁に、心より感謝申し上げます。

そして、今も世界中に愛される『シャーロック・ホームズ』というキャラクターを生み出した、敬愛するコナン・ドイル先生に心より感謝をこめて。

本当にありがとうございました。

望月　麻衣

双葉文庫

も-17-28

京都《きょうと》寺町三条《てらまちさんじょう》のホームズ

2023年8月9日　第1刷発行

【著者】
望月麻衣《もちづきまい》

【発行者】
島野浩二
【発行所】
株式会社双葉社
〒162-8540 東京都新宿区東五軒町3番28号
［電話］03-5261-4818(営業部)　03-5261-4851(編集部)
www.futabasha.co.jp(双葉社の書籍・コミックが買えます)
【印刷所】
中央精版印刷株式会社
【製本所】
中央精版印刷株式会社

【フォーマット・デザイン】
日下潤一